COLLECTION POLYGRAPHE
CRÉÉE PAR ÉRIC DE LAROCHELLIÈRE
ET ALAIN FARAH

Le Quartanier Éditeur
4418, rue Messier
Montréal (Québec) H2H 2H9
www.lequartanier.com

La déesse
des mouches à feu

Le Quartanier remercie de leur soutien financier
le Conseil des arts du Canada
et la Société de développement des entreprises
culturelles du Québec (SODEC).

Gouvernement du Québec – Programme de crédit d'impôt
pour l'édition de livres – Gestion SODEC.

Le Quartanier reconnaît l'aide financière
du gouvernement du Canada
par l'entremise du Fonds du livre du Canada
pour ses activités d'édition.

Diffusion au Canada : Dimedia
Diffusion en Europe : La librairie du Québec (DNM)

Dépôt légal, 2014
Bibliothèque et Archives nationales du Québec
Bibliothèque et Archives Canada

ISBN : 978-2-89698-159-5

GENEVIÈVE PETTERSEN

La déesse
des mouches à feu

roman

COLLECTION POLYGRAPHE

Le Quartanier

Aux petites crisses.
Et à Anne-Marie, en particulier.

ÇA S'EST PASSÉ le 18 juillet 1995. Je m'en rappelle parce que c'était le jour de ma fête. Le 18 juillet, mon père a sacré le Grand Cherokee de ma mère dans un arbre au bout de l'entrée chez nous. Les anciens propriétaires avaient installé deux courts de tennis en avant, tellement le terrain était immense. On arrivait à la maison par un chemin de gravelle, pis y avait un rond-point plein de tulipes devant la véranda. C'était une grosse bâtisse victorienne vert pomme avec des pignons de tôle grise pis une piscine creusée dans la cour. Mon père avait fait enlever les deux terrains de tennis quand il avait acheté la maison. Il trouvait ça frais chié, pis ma mère aimait mieux avoir des plates-bandes à la place.

Il était à peu près six heures du soir quand mon père a foncé dans l'arbre préféré de ma mère. C'était un espèce de chêne centenaire. Je suis pas certaine de la race de l'arbre parce que ma mère connaissait rien là-dedans. Mon père, lui, fallait pas lui parler des arbres, il les haïssait. C'est lui qui ramassait les millions de feuilles mortes éparpillées autour de la maison à l'automne. Ça prenait trois jours même si je l'aidais. J'étais pas tellement vaillante. Mon père disait que j'étais vache comme un âne. Il ramassait dix sacs pendant que j'en ramassais un. Il finissait par s'en rendre compte pis il me disait de scramer pis d'aller jouer au Nintendo. Cet été-là, j'ai passé pas mal toutes mes journées à essayer de délivrer la princesse du château de Bowser.

Mon père avait acheté le jeep pour ma mère l'année d'avant. Elle avait choisi un rouge pompier. Ça serait plus facile de le retrouver dans le parking du centre d'achats. C'est ça qu'elle a dit à mon père, au conces-sionnaire auto. Elle voulait le rouge comme dans le catalogue, pas le rouge du démonstrateur monté sur les beams de fer en face du magasin. Le vendeur a dit à ma mère que c'était une couleur disponible seule-ment sur commande. Il faudrait faire venir un jeep de Montréal spécialement pour elle. Ça coûterait cinq mille de plus à mon père. Elle a regardé le vendeur pis elle lui a demandé quand est-ce que son jeep arrivait. Elle aimait ça, être spéciale, pis elle aimait surtout ça que mon père paye.

Elle jubilait en sortant de chez le concessionnaire. Mon père, lui, était en furie. Il lui a demandé ce que le rouge du démonstrateur avait de pas correct. C'était le même crisse de rouge. Ma mère a levé les yeux au ciel pis elle lui a expliqué comment le rouge du catalogue était plus beau que celui du magasin. C'était évident. Elle serait la seule à Chicoutimi à avoir un jeep rouge de même. Mon père a rien dit. C'est un homme qui choisit ses combats. De toute façon, je suis sûre qu'il a rappelé le vendeur en cachette pour canceller la commande spéciale. Ma mère aurait le jeep rouge normal pis elle s'en rendrait jamais compte parce qu'elle est plus stupide qu'un chien.

Mais ma mère a pas aimé son jeep longtemps. Mon père s'était acheté un deuxième char la même année, une Corvette jaune, pis elle l'a aimée plus que son jeep. C'était une voiture sport, c'est pour ça. Ma mère aimait pas le sport, mais elle aimait les chars sport. Elle m'emmenait sur l'autoroute avec la Corvette. Quand la première curve arrivait, elle partait le CD de *Dirty Dancing*. À «She's Like the Wind», elle montait le son au max pis elle se mettait à rouler à cent soixante. Dans ce temps-là, je serrais la poignée de toutes mes forces pis j'attendais que sa maudite chanson finisse.

Ma mère était pas à côté de mon père quand il a crissé le jeep dans l'arbre. Y avait rien que mon père. Mon père pis sa canette de Labatt Bleue. Pour la Labatt, c'était un accident. Mon père buvait jamais en char. Ça a juste adonné qu'il avait une bière dans les mains quand il a décidé d'envoyer le jeep dans le décor.

Je me rappelle que, l'après-midi de ma fête, y avait quarante-deux affaires relatives à mon party sur la table de cuisine. Des verres en styromousse, des assiettes pis les napkins qui allaient avec, des ballons, des nappes en plastique, des chapeaux de fête pis des sacs de chips.

Ma mère était virée folle au magasin à une piastre. C'était pas surprenant. Je suis allée voir dans le frigo pour être sûre qu'elle avait acheté du Sunny Delight. C'était pas mal la seule chose importante pour moi à propos de ma fête. Il nous en fallait, à moi pis à Véronique Dubois. J'aurais enfin le droit d'aller au centre d'achats le jeudi soir. Mes parents étaient d'avis que les filles de treize ans qui se tenaient à Place du Royaume étaient des petites putains. Mais ça a l'air qu'à quatorze ans, c'était ben correct. Au centre d'achats, on viderait la moitié de la bouteille de Sunny Delight pour mettre de la vodka à la place. Véronique avait vu dans un film de détective à TQS que la vodka, c'est le seul alcool qui donne pas une haleine de boisson.

Le matin de ma fête, mes parents s'étaient chicanés. Mon père était rentré à quatre heures du matin. Il était aux danseuses avec des clients. Ma mère était en beau maudit. Elle haïssait ça, les danseuses. C'était juste des crosseuses qui prenaient tout l'argent des gars dans le bar. Mon père a dit à ma mère que c'était à cause de ses clients qu'il s'était ramassé là. C'était tout le temps la même affaire. Les gars de Montréal voulaient y aller quand ils venaient au Saguenay sans leur femme. Il pouvait pas leur dire non, c'était des gros clients. Ma mère serait aussi ben d'arrêter son sermon drette là, vu que c'est grâce à eux autres qu'on allait dans le Sud trois fois par année.

Ma mère a sauté sur mon père. Pendant qu'ils se battaient, elle lui a grafigné l'intérieur de l'avant-bras en le traitant de trou de cul. Elle avait les ongles longs comme dans les magazines. C'est son esthéticienne qui lui avait dit que toutes les filles en Europe avaient une manucure française. Ma mère allait s'en faire faire une toutes les semaines. C'était de l'entretien, des ongles arrangés de même.

Le salon était sur la rue Racine, dans le petit centre d'achats, direct en dessous du Gagnon Frères. Ma mère se parkait dans l'autogare. Elle se grouillait de rentrer, parce qu'elle avait peur des robineux qui dormaient dans l'escalier proche de la porte. Y en avait toujours au moins un, pis ça sentait la pisse. C'est pour ça qu'elle passait pas par en dedans pis qu'elle descendait par l'ascenseur pour handicapés à l'autre bout du monde. Comme ça, elle pouvait guetter si les lits d'eau étaient en spécial chez Gagnon Frères. Elle s'en magasinait un pour Noël, elle me l'avait dit.

Quand il a fini par maîtriser ma mère, mon père avait la chemise déchirée, un œil au beurre noir pis l'avant-bras qui saignait, comme s'il s'était battu avec un carcajou. Mon père était habitué aux crises à ma mère. Il disait que c'était parce qu'elle avait du sang kawish qu'elle tombait dans les bleus à ce point-là. C'était toujours pareil : ma mère sautait sur mon père, il la laissait s'énerver pis fesser un peu, pis il l'accotait dans un mur pour l'arrêter. Là, elle devenait encore plus folle. Elle lui crachait souvent dans les yeux pis elle le traitait de noms. Après une couple de minutes, elle finissait par se calmer. C'est là que mon père la lâchait. Il la laissait aller tranquillement parce que des fois elle faisait semblant d'être calme pour pouvoir lui en recrisser une.

13

Après, elle s'enfermait dans sa chambre pis elle braillait pendant une heure ou deux. Quand on entendait plus pleurer, j'allais lui porter un verre d'eau. C'est mon père qui me disait d'y aller. Il me disait aussi de faire attention. Tout d'un coup qu'elle penserait que j'étais lui. Mais moi j'avais pas peur de ma mère pis de son faux sang kawish. C'était juste de la marde, sa grand-mère innue. La madame au comptoir du gouvernement lui avait dit, la fois où elle était allée demander ses cartes d'Indien pour payer moins d'impôts.

Ce matin-là, mon père était aux commissions pendant que ma mère était enfermée dans sa chambre. D'habitude, il restait derrière la porte au cas où. Après un party de famille, ma mère avait défoncé un garde-robe pis cassé un miroir. Elle était sortie de la chambre avec un gros tesson de verre dans la main pis elle avait couru après mon père dans toute la maison en le mena-çant de lui rentrer dans le cul. Mon père avait couché avec sa secrétaire, pis ma mère l'avait pogné. Depuis ce temps-là, mon père restait derrière la porte.

Mais le matin de ma fête, mon père était enragé après ma mère. C'est vrai qu'elle avait abusé. Elle arrivait jamais à blesser mon père sérieusement. Sauf peut-être la fois où il avait mis le feu à ses bobettes en ratine pendant qu'elle lavait la vaisselle. Mon père s'était approché d'elle par en arrière avec son lighter pendant qu'elle frot-tait un poêlon. Il avait allumé un fil qui lui pendait le long des cuisses, pis toutes les petites mousses de ratine avaient flambé d'un coup. Ma mère s'était retournée pis elle lui avait fendu le front à grands coups de poêlon en fonte. Le médecin qui l'avait recousu lui avait donné un dépliant sur la violence conjugale. Mon père l'avait jeté aux vidanges en sortant de l'urgence.

Ma mère est sortie de sa chambre vers dix heures. Elle avait l'air du diable parce que son mascara avait coulé pis qu'elle avait le rouge à lèvres étampé sur les joues. Ma mère se demandait en se démaquillant pis en se remaquillant comment mon père pouvait lui faire ça le jour de ma fête. J'aimais ça, la regarder se maquiller. Elle me racontait ses histoires de mannequin en se peinturant une autre face. Elle avait déjà été plus belle. À dix-huit ans, elle avait été mannequin à Los Angèle. Elle prononçait Los Angèle pis fallait pas la reprendre. Là-bas, elle avait vu Elvis Presley en train de s'acheter une moto au bout de la rue où elle habitait. Tout le quartier était allé voir Elvis, mais pas ma mère. Elle savait qu'elle était belle, mais pas assez pour le King.

Quand elle a eu fini de se maquiller, ma mère a commencé à préparer ma fête. Elle a mis la nappe de plastique, les assiettes en carton pis les verres qui vont avec sur la table de patio, dehors. Je lui avais demandé de me préparer des mets chinois. Je l'ai aidée à faire mariner des cubes de poulet pis des saucisses à hot-dog dans de la sauce VH pour faire des brochettes. On les cuirait vers cinq heures pis Véronique Dubois aurait même le droit de venir en manger avec nous. Je savais pas si elle aimait les mets chinois, par exemple. Je me rappelle que ça m'inquiétait. Je me disais que, si elle aimait pas les brochettes chinoises pis le riz Uncle Ben's, ma fête serait poche.

Mon père est revenu des commissions avec pas de commissions vers trois heures de l'après-midi. C'était clair qu'il s'était arrêté au bar pis qu'il était resté là toute la journée. Quand ma mère l'a vu, elle a fait comme si tout était normal. Elle s'en foutait, que mon père se saoule. Surtout quand les deux s'étaient battus le matin. Elle était comme plus indulgente dans ce temps-là. Mon père est rentré dans la maison pis il est descendu dans le sous-sol. Il est remonté avec un six-pack de Labatt Bleue pis il m'a souhaité bonne fête en me tendant une canette. J'étais contente, je me demandais si j'allais avoir plein de nouvelles permissions. Véronique est arrivée sur les entrefaites. Mon père lui a pas offert de bière, à elle. Il avait peur que ses parents soient pas pour ça. Ça la dérangeait pas. Je lui donnais des gorgées de la mienne en cachette pendant qu'on se baignait dans la piscine. Ça goûtait pas ben ben bon. Je la buvais pour faire plaisir à mon père. Ce serait une belle fête pareil pis Véronique aimait les mets chinois. Elle nous l'avait dit, à ma mère pis moi, juste avant qu'on serve les brochettes. En plus, il faisait beau, comme tous les 18 juillet.

Après le souper, ça a été le temps des cadeaux. J'avais vraiment hâte de déballer celui avec le papier picoté pis le gros chou insignifiant. Ma mère gardait une boîte de choux dans le sous-sol. Elle les rapportait d'un peu partout. À la fête de ma marraine, l'année passée, elle en avait ramassé un gros pis elle l'avait mis dans sa sacoche, pis c'est celui-là qui était sur le cadeau. Véronique m'a chuchoté que ça devait être un discman. J'achalais tout le monde avec ça depuis six mois, ça pouvait pas être autre chose. Mon père était évaché dans sa chaise de patio. Il avait sa face de gars saoul. Il regardait ma mère d'une drôle de façon. Je me demandais s'il était encore fâché après. Véronique avait raison. Dans la boîte, y avait un discman Panasonic Shockwave jaune. Je me suis dépêchée de déballer les deux autres cadeaux, même si c'était pas grand-chose, un pyjama laitte avec des oursons dessus comme si j'avais six ans, pis un livre. Ça s'appelait *Moi, Christiane F., 13 ans, droguée, prostituée.* J'avais tellement hâte de le lire. En même temps, je trouvais ça bizarre que ma mère me donne un livre de drogue pis de prostitution. J'ai remercié mes parents. Mon père s'est levé pis il m'a dit que c'était pas fini, les cadeaux. Ma mère avait pas l'air de trop comprendre ce qui se passait. Il s'est approché de la table, a sorti un chéquier pis son stylo Montblanc, celui qu'il utilisait pour signer ses plus gros contrats pis mes bulletins d'école. Il a détaché un chèque, a écrit dessus, l'a plié en deux pis il me l'a donné. Véronique savait plus où se mettre. Elle a commencé à desservir la table, mais ma mère lui a dit avec sa voix bête de se rasseoir. J'ai déplié le chèque. Ma mère a demandé c'était un chèque de combien. C'était un chèque de mille piastres. J'hallucinais. Avec ça, j'achèterais tout ce que je voulais au centre d'achats. Plein de maquillage, tous les CD de Nirvana, la robe dans la vitrine du Château, des bas résille, une paire de

Doc rouge vin, des bikinis pour aller dans le Sud pis un bummer. S'il me restait de l'argent, je m'achèterais même une couple de films, ça faisait longtemps que moi pis Véro on voulait écouter *L'opéra de la terreur*. Mon père nous laisserait peut-être même le regarder sur son nouvel écran géant.

C'était pas la première fois que mon père me donnait de l'argent quand il était saoul. Mais le chèque de mille a pas fait l'affaire de ma mère. Elle l'a traité de malade mental. On donne pas autant d'argent à une petite fille. Ça a pas de bon sens. Mon père a marmonné que c'était ma mère qui était malade pis qu'elle était juste jalouse de moi parce que j'étais plus belle qu'elle pis qu'elle voulait garder le mille piastres. Il est rentré en dedans sans refermer la porte patio.

Pas longtemps après, on a entendu un gros boum devant la maison. Avec ma mère pis Véronique, on s'est levées pis on a couru pour voir ce qui se passait. Au bout de l'entrée, y avait le jeep à ma mère enfoncé dans le gros chêne à côté du terrain à madame Sorensen. Mon père est sorti du char avec le nez en sang. Il marchait tout croche. Il a pointé le jeep pis il a souri à ma mère en lui faisant dans l'cul. Le jeep était perte totale. Je suis allée m'enfermer dans ma chambre avec Véronique pis je les ai laissés se battre encore. Ça me dérangeait pas trop. J'avais du Sunny Delight pis je savais qu'on irait au centre d'achats jeudi prochain.

MES PARENTS se sont pas parlé jusqu'à la fin du mois d'août. Ils s'arrangeaient pour pas se croiser dans la maison. Mon père travaillait des heures de fou pis il prenait plein de procès en dehors. Ma mère, elle, arrêtait pas d'inviter ses sœurs pis ses amies greluches pour des soupers de filles qui finissaient jamais. Mon père haïssait tellement ces bonnes femmes-là qu'il dormait au bureau quand elles venaient à la maison. Je pense que ma mère faisait exprès pour donner une leçon à mon père.

Je me rappelle que, quand j'avais quatre ans, elle le traitait déjà d'égoïste pis d'alcoolique. Mon père, lui, me parlait pas de ma mère. Il me parlait jamais de grand-chose. Des fois, j'étais écœurée d'entendre ma mère traiter mon père de saoulon pis de manipulateur. Dans ce temps-là, j'allais m'asseoir avec lui dans le salon. On écoutait *À la poursuite d'Octobre Rouge.* C'était le film préféré à mon père. Il le louait minimum six fois par année. Un soir, le commis du club vidéo lui a suggéré de l'acheter au lieu de le louer. Mon père lui a demandé pourquoi il ferait ça. Le commis lui a expliqué que ça coûtait moins cher d'acheter le film que de le louer six fois. Ça a insulté mon père. Il a pas acheté le film pis on est allés dans un autre club vidéo ouvrir un compte. C'est pas vrai qu'il retournerait voir l'ostie de baveux de commis mal élevé. D'ailleurs, il avait été à l'école avec le père du commis pis il irait lui dire le lendemain que son fils savait pas vivre. C'était le propriétaire du poste de gaz Ultramar au coin de chez nous.

Au mois de septembre, ma mère a attendu que mon père parte à la chasse à l'orignal pour me dire qu'on déménageait. Ça m'a surprise parce que mon père pis elle avaient recommencé à se parler pis à aller souper au restaurant. Je les avais même entendus faire du sexe la semaine d'avant. Mes parents faisaient pas l'amour souvent. J'avais entendu mon père le reprocher à ma mère à un moment donné. Il devait être quatre heures du matin, pis ils revenaient du restaurant. Je sais qu'ils avaient bu pas mal de cafés brésiliens parce que ma mère a dit à mon père qu'il parlait de même à cause du fort. Mon père lui a répondu qu'il était crissement écœuré de se crosser. Si ma mère continuait de même, il se prendrait une autre secrétaire. Ma mère a ri pis elle a traité mon père de petite graine. J'ai plus rien entendu après.

Ma mère avait déjà commencé à chercher un appartement quand elle m'a dit qu'on divorçait, mais elle voulait que j'en cherche un avec elle. On a pas besoin des hommes pour vivre. Je verrais. Ma mère se trouverait une job. Ça faisait quatorze ans qu'elle avait pas travaillé, mais le mari comptable d'une de ses amies se cherchait une secrétaire. Il avait dit à sa femme qu'il engagerait ma mère. Si elle travaillait chez le comptable, on pourrait aller en voyage en Floride trois fois par année, comme avant. On resterait dans un appartement plus petit que notre maison, mais aussi luxueux. Ça serait pareil comme avec mon père, mais sans lui pour nous faire chier.

Ma mère m'a demandé de regarder les petites annonces. On avait besoin d'un quatre et demie. Fallait aussi qu'il soit neuf. Y en avait pas beaucoup, des places de même, dans le journal. Mais c'est pas vrai que ma mère déménagerait dans un appartement BS avec des planchers en marquèterie pis des stores à lamelles. On a visité trois appartements. Les concierges qui nous les montraient les appelaient des condos. Pis c'est dans un condo que moi pis ma mère on voulait rester.

Un jour qu'on revenait de nos visites, on a vu le pick-up de mon père stationné dans l'entrée de la maison. On était à quatre jours de la fin de la chasse pis c'était évident qu'il avait pas tué. Y avait pas de tête de buck sur le hood du truck. Quand ma mère a vu mon père sortir de la maison, elle est devenue blanche comme un drap. Elle m'a dit de rentrer tout de suite en dedans pis d'aller dans ma chambre. J'ai mis un disque de Lagwagon dans mon discman pis j'ai attendu. J'ai eu le temps de l'écouter trois fois avant que ma mère vienne me chercher. Elle avait le mascara coulé pis le rouge à lèvres étampé dans face, comme d'habitude. Là, elle m'a dit qu'un gars qui avait sa cache proche de celle de mon père lui avait demandé pourquoi sa femme visitait des condos. Le gars le savait parce qu'on avait visité un appartement dans un immeuble à lui la semaine d'avant. Il avait vu le nom de ma mère sur le formulaire d'enquête de crédit.

Mon père était en troisième crisse. Il est reparti sur les monts Valin le même soir. En partant, il a crié à ma mère de prendre sa fille pis ses guenilles pis de crisser son camp. Il a dit que, si on était encore dans sa maison quand il reviendrait du bois, il lui tirerait une balle dans tête. Ma mère m'a dit qu'il parlait comme ça parce qu'il était fâché. Les hommes sont de même. Ils disent des affaires épouvantables pis ils le regrettent après. C'est là qu'il faut en profiter pour leur demander ce qu'on veut, une grosse pension alimentaire, la maison pis la Corvette.

Sauf que ma mère s'était trompée. En revenant de la chasse trois jours plus tard, mon père était encore plus fâché qu'en partant. Il s'est pris une chambre au motel pis il est revenu le lendemain pour demander à ma mère pourquoi on était encore là. J'ai pas tout compris ce que mes parents se sont dit. Ils se sont enfermés dans le bureau de mon père. Après deux minutes, j'ai entendu ma mère lui crier qu'elle avait pas passé au crédit, pour le condo. Elle était toujours ben pas pour aller rester dans un deux et demie pour lui faire plaisir. Ma mère est ressortie pis elle a commencé à vider le lave-vaisselle. Je suis allée dans le bureau voir mon père. Il était au téléphone avec le gars qui avait une cache proche de la sienne. Il lui disait qu'il endosserait ma mère pis de nous installer dans son bloc. Il a raccroché pis il est sorti en passant devant moi sans me regarder. Je l'ai suivi jusque dans la cuisine. Mon père a arraché les assiettes des mains de ma mère pis il a refermé la porte du lave-vaisselle avec son pied. J'ai entendu des verres se casser dans le rack du haut. Il s'est tourné vers moi pis ma mère. Il avait la même face que quand il avait pogné son associé à voler des honoraires l'année d'avant. Il a dit qu'on aurait jamais sa maison pis encore moins sa Corvette. On avait juste à prendre l'autobus comme les osties de BS qu'on était. Pour la pension, les avocats se parleraient, pis elle avait besoin d'attacher sa tuque parce qu'il avait pas l'intention de lui donner rien.

On a déménagé la semaine d'après. Le condo était dans le quartier des Hirondelles. Je connaissais bien la place parce que l'autobus du centre d'achats passait dans toutes les rues pour ramasser les petits vieux qui habitaient dans les blocs du quartier. On resterait dans le nouveau développement avec pas d'arbres. On aurait une piscine, par exemple, mais il faudrait la partager avec les autres propriétaires de condos, pis ça me gênait de me baigner devant des inconnus. C'est mon père qui a peinturé l'appartement parce que ma mère avait plus d'argent pour engager un ouvrier. Elle avait dépensé toute sa marge de crédit pour s'acheter des nouveaux meubles au Gagnon Frères pis payer une décoratrice. Je me rappelle que mon père a peinturé le plafond en se raclant la gorge pis en faisant semblant que les yeux lui piquaient. Il faisait pitié. Je savais qu'il l'aimait, ma mère. Pis je savais aussi qu'il regrettait de nous avoir mises à la porte.

Mes parents s'étaient rencontrés quand ma mère était revenue de Los Angèle. Dans le condo, elle me racontait leur histoire tout le temps, en me montrant son album photo de quand elle était mannequin. Au début, elle était grande pis mince avec des cheveux longs teindus blond. Elle ressemblait un peu à la Brigitte Bardot des pauvres. Mais quand on arrivait au milieu de l'album, elle était grande pis grassette avec des cheveux qui virent au jaune. C'était à cause de la crème glacée, elle m'a expliqué. Elle en mangeait tous les soirs avec sa colocataire. La crème glacée américaine est tellement meilleure que la nôtre, c'est pour ça.

Au bout de six mois, ma mère avait pris vingt livres pis plus personne l'appelait pour les castings. Le dernier contrat qu'elle avait eu, c'était pour un fabricant de bougies de moteur de scie mécanique. Elle m'a raconté que c'était supposé être une photo en bikini mais que, en fin de compte, quand le client l'avait vue, il avait décidé qu'elle porterait une chienne de travail jaune orange avec l'écusson de la compagnie cousu après. Il avait essayé de la convaincre qu'elle serait quand même *gorgeous*. Ma mère l'avait pas cru. Elle était revenue au Québec la même semaine pis c'est là qu'elle avait connu mon père.

Dans ce temps-là, il venait de passer son Barreau. Il avait besoin d'une secrétaire pour s'occuper de ses rendez-vous pis apporter ses habits chez le nettoyeur. Il avait passé une annonce dans le journal pis ma mère avait été la première à se présenter. Elle avait son cours de secrétaire. C'est ma grand-mère qui l'avait obligée à le suivre, au cas où le mannequinat chierait. C'était une femme prévoyante. Ma mère voulait suivre un cours d'hôtesse de l'air à la place, mais ma grand-mère avait dit non. Hôtesse de l'air, c'est pour les putains.

Ma mère était pas la secrétaire du siècle, mais elle était belle pis elle savait comment il buvait son café. En plus, elle avait slaqué sur la crème glacée pis elle s'était acheté un vélo stationnaire en revenant de Californie. Au bout de deux mois, elle était redevenue mince avec une petite taille pis des gros seins. Pas longtemps après l'avoir engagée, mon père a divorcé de sa première femme pis il s'est installé avec ma mère dans une grosse cabane sur le bord du lac Docteur. Je suis née sept mois plus tard. On a déménagé quand j'avais trois mois parce que ma mère avait peur que je me noie dans le lac.

Ma mère était encore à me raconter son histoire pendant que je me préparais pour le centre d'achats. J'ai essayé de couper ça court parce que je voulais pas rater la bus. Mais elle arrêtait pas de parler, je la laissais encore toute seule, j'aimais mieux mes amis qu'elle pis si je faisais pas attention je me ramasserais comme Christiane F. Franchement, comme si j'étais une petite pauvre que son père la battait. Pis voire si y avait de l'héroïne à Chicoutimi.

MOI, VÉRONIQUE PIS SARAH Duperré, on avait commencé à se tenir au centre d'achats le vendredi soir en plus du jeudi. Place du Royaume était divisée en deux : le bord du Ardène pis le bord du Canadian Tire. Nous autres, on se tenait proches du Ardène, avec les skateux. C'était le meilleur bord parce que c'était celui des restaurants pis des beaux gars. On pouvait rester deux heures assises aux petites tables en face du Dunkin' à rien manger pis à boire du Sunny Delight mélangé avec de la vodka. On vedgeait là jusqu'à temps que les capeux viennent nous dire de crisser notre camp. On regardait passer Pascal Tremblay pis sa gang, avec leurs Airwalk pis leurs chandails Quiksilver. Pascal Tremblay, c'était le plus hot, parce qu'il faisait du snow pis qu'il se bleachait les cheveux. Il ressemblait à Kurt Cobain pis à Jay Adams, même s'il avait des boutons. Après, on allait se promener dans notre partie du centre d'achats pour crier des noms aux filles à qui on aimait pas la face.

Le bord du Canadian Tire, c'était pour les pouilleux. C'était des genres de BS à pinch pis à pad qui venaient de Falardeau en char pour se tirer un rang. Ils portaient tout le temps des Sugi blanches pis des chandails de Slayer. Les pouilleux avaient pas de manteaux d'hiver. Ils portaient des vestes de skidoo Arctic Cat. Je me rappelle qu'ils étaient vraiment gigons.

Le vendredi, y avait pas d'école le lendemain. On pouvait rentrer plus tard du centre d'achats. Ça fait qu'après la fermeture, moi, Véro pis Sarah on bummait dans le champ en arrière de la bâtisse. Sarah, ça la stressait d'aller là, elle était un peu tapette, pis ses parents avaient peur des maniaques. Je me demandais ben ce que Véronique lui trouvait, à Sarah. C'est sûr qu'elle était pas mal toute seule depuis que j'étais déménagée. En tout cas, on regardait les skateux se battre contre les pouilleux. Y avait beaucoup de batailles de skateux pis de pouilleux dans ce temps-là. Tellement que la police s'était mise à surveiller le champ pis à patrouiller aux demi-heures pour nous dire de circuler.

Ce vendredi-là, ça a dégénéré comme jamais. On s'est ramassés au moins six cents en arrière du centre d'achats pour se battre. Ils en ont même parlé en première page du *Quotidien,* le lendemain. Ça a été la plus grosse bataille de skateux contre pouilleux de tous les temps. Ça a commencé à cause qu'un des skateux avait volé la blonde d'un gars de Shipshaw. Les pouilleux étaient montés en ville avec des battes de baseball pis des crowbars. Les skateux savaient qu'ils s'en venaient, parce que le chef des pouilleux, qui s'appelait Jessie ou un autre nom de Canton-Tremblay de même, avait dit à l'amie de la fille qu'il tuerait le gars. La fille l'avait répété à tout le monde à la poly, pis nos amis étaient allés au termi après l'école pour rameuter le plus de monde possible. Après, Pascal pis deux trois autres de ses chums avaient attendu Jessie à la sortie de l'école des adultes pour lui dire qu'on serait mille au centre d'achats le soir. Ils créaient pas à ça, lui pis sa gang de gais. C'était clair que je pouvais pas pas y aller. En plus, ça faisait long-temps que moi pis Véro on avait le goût de crisser une volée à des petites vaches en gilet bedaine.

Le centre d'achats fermait à neuf heures. À neuf heures et quart, y avait au moins deux cents chars parkés autour. Tout le monde avait laissé ses portes ouvertes pis essayait de faire jouer sa musique plus fort que les autres. Les gars buvaient de la Bull Max en attendant que ça commence pis en se crinquant. Moi, Véro pis Sarah on s'est mises à avoir un peu la chienne. Les chars arrêtaient plus d'arriver, y avait du monde à pied qui ressoudait par le bois en arrière pis des gangs de gars qu'on avait jamais vus de notre vie qui roulaient en BMX dans le champ. Véronique m'a pointé une gang de squaws pleines de spray net qui débarquaient d'une minoune, elles venaient sûrement de Pointe-Bleue. Je trouvais ça vraiment abusif, pis Sarah a dit qu'elle vou-lait s'en aller. On a su après que les squaws, c'était juste des guirdas de Chicoutimi-Nord. De toute façon, j'ai dit à Sarah de crisser son camp, parce qu'elle nous achalait depuis vingt minutes. Elle est allée appeler sa mère pour qu'elle vienne la chercher pis on l'a plus revue de la soirée. C'était aussi ben de même. Moi, il était pas question que je m'en aille, je venais de spotter Mélanie Belley. Je l'haïssais parce qu'elle se pensait bonne avec sa Néon blanche pis ses jeans Lois comme je voulais. Surtout, c'était la blonde à Pascal Tremblay. Je comprenais pas ce qu'il faisait avec elle d'ailleurs, elle avait un bourrelet de taille pis elle se maquillait en gawa. Elle se dessinait une ligne de crayon bleu marin en dessous des yeux pis pas au-dessus. Elle devait être cochonne comme une fille de Saint-Jean-Eudes.

On a vu les lumières des chars de police arriver vite sur le boulevard Talbot. C'est les capeux qui les avaient appelés, sûrement. Il devait y avoir vingt chars plus un panier à salade pis trois ambulances, mais il était déjà trop tard pour nous disperser pis empêcher la bataille.

Les skateux ont traversé du bord des pouilleux pis ils se sont mis à les traiter de suce-crottes. La marde a comme pogné d'un coup. Deux cents gars se tapaient sur la gueule pis on savait plus qui était avec qui. Un coche criait dans son porte-voix, mais personne entendait rien. Tout le monde était dans les bleus pis pire encore. Pascal Tremblay vargeait dans face d'un gars de Saint-Honoré avec son skate pendant que les autres le fessaient aussi avec leur chaîne de portefeuille. C'est là que deux pouilleux ont enligné Pascal avec leur batte de baseball. Je sais pas combien de coups il a mangés. En tout cas, il est reparti en ambulance, pis ça a l'air que l'autre a passé une semaine dans le coma.

Pendant que les skateux pis les pouilleux se battaient, les filles des deux gangs se criaient des noms pis se traitaient de putes. Traiter une fille de pute, c'était comme la pire insulte. À un moment donné, j'ai un peu trop envoyé chier Mélanie Belley. Ça faisait une demi-heure qu'elle m'essayait avec sa voix de niaiseuse. Je lui ai sauté dans face. J'ai jamais compris ce qui est arrivé après, même si Véro me l'a raconté mille fois. L'affaire, c'est que Mélanie avait quatre frères, pis que leur père leur avait tous appris à boxer avant de leur montrer n'importe quoi d'autre. Un de ces gars-là était devenu un boxeur connu dans la région. Il était plus vieux que Mélanie de dix ans pis il la traînait partout avec lui. C'est elle qui vendait les t-shirts pis les tasses avec sa face dessus quand il allait se battre au Centre Georges. Il lui avait aussi appris à fesser dans un sac, ça fait que j'étais en train de manger une crisse de volée. Elle m'a donné un coup de pied dans le vadge pis après elle m'a uppercuttée comme un gars. Je suis tombée sur le dos pis j'ai pas eu le temps de me relever qu'elle s'assoyait sur moi. Je pouvais plus respirer, elle m'écrasait avec son gros cul. J'ai essayé de lui arracher une poignée de cheveux, mais elle m'a sluggée ben comme il faut. Je pensais que je verrais ma vie défiler devant mes yeux, mais pas. Deux femmes polices nous ont séparées. Je me rappelle plus trop du reste. Véro m'a dit qu'elle m'a ramenée chez nous avec la gueule en sang pis une manche de manteau déchirée. Mélanie, elle, avait juste un peu la face égratignée. Ma mère a capoté quand elle a ouvert la porte pis qu'elle m'a vue. J'ai été obligée de passer la nuit avec un sac de petits pois congelés sur la joue.

QUAND on avait déménagé dans le condo, je savais pas que Mélanie Belley attendrait l'autobus au même arrêt que moi chaque matin. Elle habitait dans un HLM proche de chez nous. Chaque fois qu'on passait devant, ma mère soupirait pis elle se demandait ce qu'un bloc de même faisait dans le quartier des Hirondelles. C'était assez nouveau comme pratique, que la Ville installe des HLM dans des quartiers pas BS.

Depuis la bataille du terrain vague, c'était toujours la même affaire. Mélanie se plantait à l'arrêt pis elle me regardait bête jusqu'à temps que l'autobus arrive. Quand on embarquait dedans, elle me poussait pis elle allait s'asseoir en arrière avec deux autres filles qui me regardaient croche elles avec. Je me rappelle que j'étais pas grosse dans mes culottes quand je la croisais. Surtout qu'elle racontait à tout le monde à la poly qu'elle me recrisserait une volée si elle me revoyait la face au centre d'achats.

Je suis retournée au centre d'achats le jeudi d'après. Mélanie Belley, cette ostie-là, était juste en avant du Ardène. Elle a crié mon nom. Je pensais qu'elle parlait à une autre Catherine, mais elle me regardait. Ça fait que j'ai pas eu le choix d'y aller même si ça me tentait pas de manger un autre coup de poing. Mélanie était avec les mêmes filles à lulus que dans l'autobus, deux groupies des Sags en veste de jeans. Elle m'a dit assez fort pour que des madames se dévirent que c'était beau, qu'elle voulait plus se battre avec moi. Je comprenais rien pis je lui ai demandé c'était quoi, l'affaire. Mélanie est venue me trouver pis en voyant ma face elle m'a dit en riant qu'elle y avait été un peu fort. Elle était peut-être pas si conne que ça, dans le fond. Elle m'a invitée à venir au McDo avec elles. Je voulais y aller, mais j'étais pas certaine. D'un coup que c'était une crosse pis qu'elle voulait m'attirer là pour me fesser. Elle m'a dit de relaxer. Une fille à l'école lui avait dit que j'étais smatte, pis un gars de la gang à Pascal me trouvait belle pis il lui avait dit d'arrêter de m'écœurer. J'ai répondu que, si c'était de même, j'allais y aller, au McDo.

Rendues là, on a commandé deux frites pis un coke pour quatre. La caissière nous a dit qu'on avait pas le droit de flâner, que c'était marqué sur la pancarte dehors. Si on voulait rester, tout le monde devait commander de quoi. Les lulus ont commandé des Joyeux Festins avec le jouet pour filles. J'ai trouvé que c'était une bonne idée. La caissière nous a donné notre commande en bourrassant. On est allées s'asseoir dans le fond de la place, pis Mélanie a commencé à raconter qu'elle savait plus trop si elle avait le goût de continuer à sortir avec Pascal. Elle avait rencontré un autre gars qui s'appelait Jean-Simon durant la fin de semaine pis elle le trouvait plus pétard. Il avait une motocross pis il jouait du drum. On était toutes d'accord pour se dire qu'un gars qui joue du drum dans un band punk, tu sors avec. Je me disais dans ma tête que, si Mélanie le laissait, j'irais parler à Pascal au centre d'achats.

Les filles se sont levées pis elles m'ont demandé si je voulais venir dans les toilettes avec eux autres. J'ai dit oui pis on est allées s'enfermer dans la cabine pour handicapés parce qu'on aurait plus de place. J'avais entendu dire à la poly que Mélanie prenait souvent de la mess, pis j'avais le goût d'essayer. Elle a sorti un petit sac de sa sacoche. Je savais que c'en était, j'avais déjà vu une fille en sniffer. Mélanie a vidé le sac sur le dessus du réservoir de toilette pis elle a fait des lignes avec sa carte étudiante. Elle a roulé un cinq piastres, pis j'ai sniffé deux lignes. J'ai fait comme si je connaissais ça. J'avais lu là-dessus dans *Christiane F.* J'ai pas senti grand-chose, à part que les narines me brûlaient. J'ai faké d'être gelée.

Le lendemain, à la poly, tout le monde me regardait quand je suis arrivée à ma case. Mélanie pis les filles étaient assises sur le banc en face. J'ai débarré mon cadenas pis j'ai accroché mon manteau. J'étais en maths ce matin-là, fallait que je me grouille, le prof haïssait ça qu'on arrive en retard. Il s'appelait monsieur Martel, c'était un maudit psychopathe. J'ai ramassé mes livres pis j'ai remis mon cadenas. Je me suis approchée des filles pour marcher avec elles. Une des deux lulus m'a traitée de crisse de conne. Mélanie m'avait fait sniffer de la petite vache mélangée avec des bonbons Rockets.

À LA POLY, j'étais rendue rejet. Véronique pis Sarah étaient les seules qui me parlaient encore. Quand je rencontrais Mélanie dans le corridor, elle me poussait dans les cases ou criait à tout le monde que la fakeuse était dans la place. J'avais beau essayer de l'éviter, je tombais dessus pareil. Un après-midi à la fin du cours d'éduc, Mélanie a profité que j'étais dans la douche pour vider tout mon sac d'école à terre. Quand je suis revenue pour m'habiller, mon linge était éparpillé dans le vestiaire. Mélanie a commencé à me niaiser, en me demandant si j'étais encore allée faire de la mess dans les toilettes. Était-tu bonne, pis c'était qui, mon pusher? La crisse, j'ai vu qu'elle avait mon discman dans les mains. Je lui ai dit d'arrêter d'être chienne pis de me le redonner tout de suite. Elle est partie s'enfermer dans une cabine pis elle a sacré mon discman dans la bol en flushant, pour être sûre qu'il soit scrap.

Les jours d'après, j'ai fait semblant d'avoir mal au ventre pour pas aller à l'école. Je voulais pas rencontrer Mélanie à l'arrêt de bus pis j'étais écœurée de me faire écœurer par toute la poly. La première semaine, ma mère m'a laissée manquer mes cours, mais le vendredi j'ai été obligée de lui dire pourquoi je voulais plus y aller. Elle a pogné les nerfs, m'a embarquée dans le char pis elle a brûlé trois stops sur la rue Bégin. Rendue à la poly, ma mère a marché jusqu'au bureau du directeur. Elle marchait tellement vite que j'avais de la misère à suivre. Elle a passé devant la secrétaire en faisant comme si elle existait pas pis elle est rentrée dans le bureau du directeur sans cogner. J'étais gênée, je la trouvais colonne. Le directeur était au téléphone avec je sais pas qui. Il nous a fait signe de nous asseoir pis il a dit à la personne qu'il la rappellerait. Il m'a souri pis il a demandé à ma mère c'était à quelle heure, son rendez-vous. Elle avait pas de rendez-vous. Le directeur a regardé sa montre, c'était pas grave, il nous recevrait. Ma mère, ça l'a calmée, elle aimait ça quand le monde faisait des exceptions pour elle. Il a pesé sur le piton de l'intercom pis il a dit à la secrétaire de pas le déranger. Ma mère a commencé à parler, j'écoutais pas trop ce qu'elle disait. Je regardais les souliers du directeur, ils avaient l'air neufs, des espèces de souliers de gangster noir et blanc. Je les trouvais vraiment cool, le genre que le gars dans *Scarface* aurait pu porter. C'était pas pantoute des souliers de directeur, mais en tout cas. Il a fallu que j'arrête de fantasmer sur Al Pacino. Ma mère voulait savoir le nom de la petite délinquante qui me harcelait depuis deux semaines. Mélanie Belley. Ça me stressait, j'haïssais ça, les stools, pis je savais que toute l'école serait au courant dans dix minutes. Ma mère a demandé au directeur ce qu'une fille comme Mélanie Belley faisait dans son école, d'ailleurs. Parce qu'elle devait sûrement vendre de la drogue, en plus d'écœurer sa fille. Le directeur a dit qu'il verrait à ça pour la drogue pis qu'il convoquerait les parents de Mélanie pour leur parler. Ma mère a eu l'air satisfaite pis elle lui a dit que je reviendrais en classe le lundi.

Le lundi, j'ai vu Mélanie arriver à la poly avec ses parents. Elle m'a regardée comme si elle voulait me tuer pis elle est partie vers le bureau du directeur. Je suis allée en maths, mais j'ai pas eu le temps d'ouvrir mes livres qu'on a appelé mon nom à l'intercom. Je me suis levée pis j'ai ramassé mon sac. Tout le monde s'est déviré vers moi. Le prof m'a dit de me dépêcher, il avait pas toute la vie. En rentrant dans le bureau, j'ai vu Mélanie qui gardait la tête baissée. Sa mère était assise avec son père pis elle pleurait. Son père, lui, avait l'air en tabarnac. Le directeur a demandé à Mélanie si elle avait quelque chose à me dire. Elle a dit qu'elle s'excusait en continuant à fixer le plancher. Le directeur m'a donné la permission de retourner dans mon cours de maths pis il m'a dit que j'aurais plus de problèmes avec Mélanie.

Après la cloche, elle m'a attendue devant ma case. Elle m'a dit que j'étais pas mieux que morte. Je suis rentrée chez nous pis j'ai traité ma mère de cave. Elle m'avait juste mise encore plus dans la marde en m'emmenant chez le directeur. Elle faisait toujours juste de la marde de toute façon. Ma mère m'a donné une claque dans face, pis je lui ai sauté dessus. On s'est battues. Je lui ai foulé le petit doigt pis je l'ai grafignée dans le cou. Ma mère a gueulé je sais plus quoi pis elle est partie s'enfermer dans sa chambre. Elle a appelé mon père pour qu'il vienne me chercher tout de suite. Ma mère criait pis pleurait dans le téléphone en disant à mon père que je m'étais transformée en furie pis qu'elle pourrait pas me garder avec elle si c'était pour être de même. Moi, j'aurais sacré mon camp n'importe où ailleurs.

Il était pas question que mon père vienne me chercher. Fallait que ma mère s'arrange avec moi. C'était de sa faute si j'étais une ostie de folle comme elle. Je pense que mon père lui a raccroché au nez parce que j'ai entendu de quoi se faire garrocher dans le mur, ça devait être le téléphone. Elle est sortie de sa chambre pis elle m'a dit d'aller réfléchir dans la mienne. Je l'ai envoyée chier pis elle est repartie à pleurer. Elle avait sa même face que quand elle essayait de manipuler mon père. Je trouvais qu'elle faisait un peu pitié, mais je l'ai traitée de noms pareil. Je lui ai dit qu'elle était juste une charrue. C'était à cause d'elle que j'étais pognée pour rester dans un condo BS pis que mon père voulait plus rien savoir de moi. Je me suis mise à brailler pis je suis partie dans ma chambre. J'ai claqué la porte pis j'ai donné des coups de poing dans le mur jusqu'à ce que le gyproc défonce. J'avais les jointures tout écorchées pis ça chauffait. Ma mère est rentrée dans ma chambre parce qu'elle m'avait entendue varger. Elle avait peur que je me suicide comme Kurt Cobain. Elle est revenue avec son kit de premiers soins que c'était évident qu'elle l'avait jamais ouvert parce qu'elle cherchait dedans comme une folle pour trouver des plasteurs pis du mercurochrome. Je lui ai dit que c'était un bandage que ça me fallait. Elle m'a enroulé une grosse catin blanche en coton autour de la main. J'étais plus capable de bouger mes doigts, sauf le petit, tellement c'était serré. Elle a pas parlé de la ronne, elle devait commencer une dépression, parce que d'habitude la gueule lui arrêtait pas.

Le lendemain, mon père est venu réparer le gyproc pis il m'a dit qu'il m'aimait. Il m'avait jamais dit une affaire de même avant. On était dans ma chambre pis je tenais la chaudière de plâtre. Mon père a lâché sa truelle pis il a commencé à pleurer. Il m'a prise dans ses bras. Il m'a dit que j'étais son petit bébé pis qu'il m'aimait plus que la vie. Je me rappelle que ça me faisait weird d'être dans les bras de mon père pis que je voulais qu'il me lâche.

Le samedi, Pascal m'a invitée au cinéma. *Mentalité dangereuse* venait de sortir. Je comprenais pas pourquoi il m'appelait. Pour me niaiser avec Mélanie, sûrement. Je lui ai dit de me laisser tranquille. J'étais plus capable, de cette histoire-là. Pascal m'a pas laissée finir ma phrase. Il avait cassé avec Mélanie. Était trop folle. De toute façon, il voulait me dire de quoi depuis un bout. Je le trouvais cute, il avait une voix gênée dans le téléphone. Mais là j'entendais plus parler, il avait peut-être raccroché. Pascal m'a redemandé si je venais au cinéma avec lui, finalement. J'ai dit OK, d'abord. Il viendrait me chercher avec le char à son père.

En raccrochant, je me suis tout de suite demandé ce que j'allais mettre. Peut-être la robe bourgogne que je venais de m'acheter au Château, ou le jumper en laine du Limité. Fallait être sexy mais pas pute. Ça fait que le jumper en laine. J'avais pas de collants pour aller avec, par exemple. Je suis sortie de ma chambre pour demander à ma mère si elle en avait un à me passer. Elle a voulu savoir pour quoi faire. Pour aller au cinéma avec un gars. Ma mère m'a demandé son nom pis c'est quoi qu'il faisait dans la vie, son père. Pascal Tremblay. Son père était cadre à l'Alcan, que je lui ai répondu.

Pascal est arrivé à sept heures et demie dans un Dodge Ram trop gros pour la ligue. Il sortait du lave-auto, en plus. Je l'attendais dehors, pis il commençait à neiger, une petite neige frette d'octobre qui te fond dans le cou. J'avais peur que mes cheveux s'aplatissent. Pascal est sorti du pick-up avec la veste de snow dézippée. Il était encore un peu poqué à cause de la bataille en arrière du centre d'achats. Je l'ai trouvé plus petit que d'habitude. Il s'était habillé propre, ça m'a fait rire parce qu'il avait mis un polo Lacoste avec ses pantalons de skate. Je lui ai donné deux becs sur les joues, il sentait bon, il sentait le bounce. Il est venu m'ouvrir la porte du pick-up. Je me suis tenue après son bras pour monter dans le truck. J'ai demandé à Pascal de mettre le chauffage au max quand on est partis. Il m'a demandé ce que je voulais écouter. Du Offspring.

Au cinéma, ça a pris au moins trente minutes de *Mentalité dangereuse* avant qu'il passe son bras autour de mes épaules en faisant accroire de s'étirer. Mon cœur s'est mis à battre vite, là c'était évident qu'on allait frencher, j'avais tellement eu raison de pas prendre des Doritos. Il m'a frenchée au moment où Michelle Pfeiffer annonçait à sa classe de Noirs que le gagnant de son concours de poèmes mangerait avec elle dans un restaurant chic. Michelle Pfeiffer était pas mal moins belle que dans *Scarface,* pis le film finissait plus de finir. C'était pas grave parce que Pascal avait la main dans mon chandail pis j'aimais pas mal ça. Après le cinéma, on est allés au HMV du centre d'achats pour acheter le CD avec la toune du film. On avait trippé dessus même si on était pas des rappeux. On a rencontré Baptiste Amadou qui se magasinait du Dr. Dre. Pascal pis lui ont parlé un peu. Baptiste Amadou était aussi beau que le gars dans *Mentalité dangereuse.* Je devais pas être la seule à le penser. C'était le seul Noir à Chicoutimi pis il a jamais autant fourré qu'après ce film-là.

LE LUNDI matin, Mélanie m'attendait à ma case. Son mascara avait coulé pis elle ressemblait à Alice Cooper. Elle m'a dit qu'elle m'étriperait si je continuais à sortir avec Pascal. Je lui ai fait dans l'cul pis je suis allée à mon cours d'anglais. Pendant que le prof nous expliquait la différence entre *this* pis *that,* je me demandais comment ça se faisait que Mélanie Belley savait que j'avais été au cinéma avec son ex. De mon bord, y avait juste Véronique qui était au courant. Ça devait être Pascal qui l'avait dit à Mélanie pour qu'elle lui crisse la paix. J'espérais que c'était ça, en tout cas. Tout ce que je savais, c'est que j'avais plus peur d'elle. Entre anglais pis géo, je suis sortie dehors pour voir si Véronique était en train de fumer dans le bois en arrière de la poly. Je l'ai pas vue. Y avait seulement les filles du McDo pis d'autre monde. Elles m'ont même pas traitée de noms. Y en a une des deux qui m'a dit que ça me faisait bien quand je me coiffais de cette manière-là.

À la café le midi, Mélanie a tiré une pomme verte dans mon cabaret. La pomme est tombée dans ma crème de champignons, pis ça a revolé partout sur mon chandail. Les amies de Mélanie lui ont dit qu'elle était un peu conne de m'avoir tiré une pomme. Fallait qu'elle en revienne, de Pascal. Qu'est-ce que ça pouvait bien lui faire que je sorte avec, elle était avec Jean-Simon, astheure. Mélanie est venue me porter des napkins pis elle s'est excusée. Elle avait une face de Piteux Pitou, pis je voyais qu'elle niaisait pas. Elle a dit que c'était beau. Je pouvais l'avoir, Pascal. Fallait que j'arrête de porter des Kickers, par exemple. J'avais l'air folle avec ça. Y a plus personne qui portait des souliers de même depuis la sixième année. Fallait que je m'achète des Airwalk pis que je les porte avec des bas brodés Jacob. Les Airwalk, je trouvais ça crissement laitte sur une fille. Pis les bas Jacob, c'était pour les pisseuses. Je lui disais-tu, moi, ostie, que son chandail lui faisait des grosses boules slotcheuses ? Je voulais des Doc huit trous avec des bas aux genoux rayés comme les filles dans les vidéoclips de NOFX. Je les porterais avec des petites jupes carreautées attachées avec une épingle à couche géante pis un t-shirt de fille de No Use For A Name. Je voulais un coton ouaté de Face to Face, aussi. Mais il coûtait trop cher, pis ma mère avait jamais voulu me l'acheter, à cause que j'avais dépensé le chèque de mille piastres en deux semaines.

Ma mère était un peu inquiète, pour Pascal. Les gars de cet âge-là, ils veulent tout le temps la même affaire. Ils pensent juste au sexe. Moi, ça me dérangeait pas que Pascal pense juste à ça.

Souvent, j'allais chez eux après l'école. Il habitait le Bassin, avec son père, dans un appart en haut d'un dépanneur. Le genre de dépanneur où le commis vend du hasch en cachette. Pascal disait que tu pouvais acheter une boule à cinq en même temps que ton six-pack. Il était pas cadre à l'Alcan, finalement, son père, pas pantoute. Ma mère voulait jamais venir me porter chez Pascal, ça fait que j'y allais en bus de ville. Fallait que je prenne la bus pis que je transfère dans une autre rendue au terminus de la rue Racine. Quand ma mère l'a appris, elle a dit qu'elle viendrait me porter pis me chercher chez mon chum. Il était pas question que je passe par le terminus. C'est là que les dealers de drogue se tenaient. Ils faisaient l'aller-retour entre le termi pis la Galax pour vendre de la mess, du youne pis du buvard aux pouilleux qui jouaient à Duck Hunt pis à Contra à la journée longue.

Chez Pascal, on s'embarrait dans sa chambre. J'ai jamais rencontré sa mère, pis j'ai jamais su s'il la voyait de temps en temps ou pas. J'osais pas lui demander. J'avais peur qu'il me trouve fatigante avec mes questions. Mais je pense que Pascal s'en foutait, de sa mère. Il me parlait pas d'elle, sauf une fois pour me dire que c'était elle qui lui avait acheté la douillette de tigre sur son lit.

Le père à Pascal est jamais venu cogner à la porte de la chambre pour voir ce qu'on faisait enfermés là-dedans tout l'après-midi. Les premières fois, il s'est pas passé grand-chose, j'étais gênée de mes brassières, pis Véronique pis Sarah avaient trop des petites boules pour me prêter les leurs. De toute façon, elles avaient pas des brassières comme je voulais. J'avais vu un modèle que j'aimais dans la vitrine de La Senza. Il était supposé te faire une craque comme dans les annonces de Chantelle. Il venait en rouge ou en noir. J'en ai volé deux, le jeudi après la fin de semaine du cinéma. Ça avait été facile, y avait deux vendeuses pis le magasin était bourré de monde. J'ai mis les brassières dans mon sac à dos pis j'ai marché vers la sortie en pensant à autre chose pour pas avoir l'air stressée. Le soir dans mon lit, j'ai réalisé en pensant à mon affaire que j'avais pas de bobettes qui fittaient avec. J'avais vu dans les films de cul de mon père cachés dans le plafond suspendu du sous-sol que ça prenait des bobettes pour aller avec. Des porte-jarretelles aussi, ça faisait bien. Les gars avaient vraiment l'air d'aimer ça. Moi aussi je trouvais ça beau. Je suis retournée voler des bobettes noires pis rouges pas longtemps après les brassières. Mais il restait juste du large. Pascal s'en est jamais rendu compte.

Je cachais les brassières pis les bobettes dans mon sac à dos avant d'aller chez Pascal. Si ma mère les avait vues, elle aurait pété sa coche. Elle me disait tout le temps que les sous-vêtements de couleur, c'était pour les guidounes, même si elle en avait plein. Je le savais parce que j'avais fouillé dans son tiroir à bobettes, une fois. J'avais trouvé un espèce de kit de patineuse artistique cochonne avec des froufrous pis des bobettes pas de fond. Ça m'a surprise parce que ma mère disait tout le temps à mon père qu'elle aurait aimé mieux mourir que de porter un g-string. J'ai pensé qu'il devait y avoir un autre gars dans le décor. Fallait pas que mon père l'apprenne en tout cas. Parce que, s'il savait que ma mère avait un autre chum, il voudrait encore moins me voir.

Un après-midi chez Pascal, je lui ai demandé d'attendre un peu pendant que j'allais aux toilettes. Je venais de regarder le cadran pis je m'étais rendu compte qu'il nous restait une heure avant que son père revienne de travailler. Je me suis enfermée dans la salle de bain pis j'ai mis le kit rouge. Je me trouvais vraiment belle même si les bobettes pochaient en arrière. J'arrêtais pas de regarder mon ventre pis de me dire que j'étais mieux faite que Mélanie Belley. J'étais autant belle que la fille sur le poster de Budweiser dans la chambre de Pascal. J'étais pareille à elle sauf pour les cheveux. Pascal aussi a eu l'air de penser ça quand je suis revenue dans la chambre. Je suis allée m'asseoir sur lui juste comme il se levait. C'était *Dookie* qui jouait dans le stéréo pis il avait dimmé la lumière. Il était bandé dans ses culottes pis je me demandais pourquoi il se passait rien. Je l'ai frenché. Je lui ai dit qu'il pouvait mettre ses mains, pis il a commencé à détacher ma brassière. J'étais quand même gênée de lui montrer mes seins. Il s'est mis à

48

zigner un peu pis à me respirer fort dans le cou. Il m'a demandé si je voulais. J'étais pas certaine s'il parlait de le faire au complet, mais j'ai dit que ça me dérangeait pas. Il s'est étiré pour prendre des capotes dans sa table de nuit. J'avais frette pis j'étais sur les hautes. C'était des capotes qui luminaient dans le noir. J'ai dû faire une face, parce qu'il m'a dit que c'était Mélanie qui les avait achetées en joke, pis qu'il lui restait juste ça. Je m'en foutais. Je me suis dit que c'était le bon temps pour déboutonner ses jeans. Il m'a demandé si je voulais qu'il mette un autre CD. J'étais tannée du niaisage, ça fait que j'ai commencé à le crosser comme dans les films de cul à mon père. Au bout de cinq minutes, il a tassé ma main, ça lui faisait un peu mal. Je me suis dit que j'allais le sucer. Il s'est assis sur le bord du lit. J'ai commencé pis il a tout de suite mis ses mains sur ma tête. Ça goûtait moins pire que je pensais, mais j'étais pas capable. Son pénis était trop gros. J'avais de la misère à le rentrer dans ma bouche au complet. J'ai continué, mais pas longtemps, le cœur me levait. J'ai comme développé une technique, je lui suçais le bout pis je lui crossais le bas. Il a pas toffé deux minutes. Il s'est levé vite du lit pis il est venu sur le tapis de la chambre. J'étais vraiment contente. Ça voulait dire que j'étais belle dans ma brassière pis mes bobettes. Je me suis dit que, la prochaine fois, ça me prendrait un porte-jarretelles.

Après ce jour-là, j'avais comme un nouveau pouvoir sur Pascal. Il voulait tout le temps être avec moi pis il

49

m'emmenait au trou pis au skatepark en bas de la rue Racine. Je pouvais pas inviter Véronique pis Sarah, par exemple. Pascal disait que c'était rien que des pisseuses. Je les voyais moins, de toute façon, pis c'est vrai que c'était des pisseuses, Véronique pis Sarah. Elles avaient peur de tout pis elles passaient leur temps à me faire la morale. Elles trouvaient Pascal trop vieux pis elles disaient que c'était un crosseur à cause de l'affaire de Mélanie. Un gars qui laisse une fille pour une autre, on peut pas faire confiance à ça. C'était clair qu'il me domperait quand il en pognerait une plus belle. Je les ai envoyées chier. Elles connaissaient rien aux gars.

Véronique pis Sarah voulaient juste boire de la vodka diluée dans du Sunny Delight. Elles voulaient jamais venir avec moi nulle part ailleurs qu'au centre d'achats. Je trouvais ça platte, à la longue, le centre d'achats. J'avais le goût d'aller veiller dans les campes pis dans les places où y a pas de capeux. Véronique avait peur d'aller dans le bois avec des gars qu'elle connaissait pas, pis Sarah, sa mère disait que c'était rien que des guidounes qui se tiennent dans les campes. Les filles voulaient même pas venir au skatepark à cause de la drogue. Y en avait pas mal là-bas, pis les deux étaient contre ça.

Pour aller dans le bois, j'avais Pascal, ça fait que pas besoin d'elles. Notre place préférée, c'était le trou. C'était dans un petit bois, entre Vanier en bas pis Vanier en haut. On pouvait se rendre au trou par la trail en arrière du dépanneur ou d'en bas par le chemin à côté du terrain de baseball. Je passais jamais par là parce qu'il fallait grimper par le cran pis j'avais peur de tomber comme mon ami Luc qui s'était cassé les deux jambes une fois. De toute façon, la bus nous laissait direct en face du dep à Vanier en haut. Les gars s'achetaient de la bière, pis moi je me remplissais un petit sac brun de bonbons melons d'eau surs. Après, on descendait au trou pis on startait un gros feu avec des troncs d'épinettes qu'on ramassait dans le bois alentour pis du gaz. Plein de monde de Falardeau, de Canton pis de Saint-Ho venait veiller avec nous autres. Presque toutes les pistes de motocross se rejoignaient là. Des fois, les pouilleux ressoudaient en moto par les trails. Dans ce temps-là, la bataille repognait avec Pascal pis sa gang.

Au trou, y avait toujours Keven Bouchard pis son radio. Il faisait jouer les Ramones pis les Clash. Je trouvais ça bizarre que Pascal se tienne avec. Il s'habillait pas pareil que nous autres, mais c'était beau, comment il s'arrangeait, Keven, avec sa froque de cuir noir de moto, ses Converse pis son toupet comme dans *Grease.* Il était grand pis maigre pis blême, il parlait pas beaucoup, sauf quand il parlait de musique. De temps en temps, j'apportais mes CD de GrimSkunk pis de Propagandhi, pis Keven me disait oui pour les mettre. Pas souvent, par exemple. C'était un genre de control freak qui mettait juste ses affaires, toujours de la musique que personne connaissait. Genre Operation Ivy pis des bands de même. Il faisait des mix sur des cassettes pis il nous les copiait jamais. Je me rappelle que ça nous tapait sur les nerfs. La fin de semaine d'avant le soir de la mess, une fille de Valin a amené du Green Day. Keven l'a regardée de haut pis il lui a dit d'aller faire jouer sa marde de poseurs pis de vendus ailleurs. La fille a sacré son camp la tête entre les deux jambes. Elle devait être allée se suicider ou de quoi de même. Keven était psycho-pathe un peu avec sa musique.

J'ai connu Marie-Ève Côté au feu. Elle habitait dans une grosse cabane sur le bord du Saguenay. Marie-Ève avait un an de plus que moi pis elle sortait avec Fred. J'étais impressionnée de la rencontrer, c'était la fille la plus populaire de la poly. Elle était belle avec ses cheveux aux fesses pis sa bouche en cœur, pis surtout elle chantait dans un band de filles. Elles faisaient des covers de Hole pis des Runaways. J'aurais tué ma mère pour jouer de n'importe quel instrument dans leur groupe, du tambourin au pire, même si c'était gai. Même avant de rentrer au secondaire, je savais c'était qui, Marie-Ève Côté. Son frère pis trois de ses amis s'étaient tués en char. Ils s'étaient fait étamper par un train de l'Alcan à une traverse de chemin de fer. *Le Quotidien* disait que la signalisation était défectueuse à cette place-là. Mais y a des gens qui disaient que les flots s'étaient câlissés eux autres mêmes en avant du train. Marie-Ève m'a présentée aux filles qui se tenaient au trou. C'était comme la plus belle gang de filles que j'avais vue de ma vie, avec le plus beau linge. Mélissa portait des Doc dix-huit trous malades, elle avait dû les trouver à Québec. Y avait aussi deux sœurs vraiment hot, Isabelle pis Annie Imbault. Paraissait qu'elles prenaient leur bain ensemble, les gars viraient fous en parlant de ça. J'ai oublié le nom des autres, mais je sais qu'il y en a une qui restait dans une famille d'accueil pis qu'elle ridait son skate comme un gars. Elles étaient tout le temps ensemble, ces filles-là, pis on voyait juste eux autres à la poly. On aurait dit des mouches à feu.

Un soir qu'on était là-bas, Jean-Simon pis Mélanie Belley sont arrivés en motocross avec une caisse de douze. Pascal est allé taper dans la mitte à Jean-Simon, pis Mélanie est venue me donner deux becs sur les joues comme si on était best friends forever. Je me suis dit qu'elle faisait ça à cause de Marie-Ève. Les deux avaient été meilleures amies quand Mélanie sortait avec Pascal. Marie-Ève m'a raconté qu'elle avait arrêté de se tenir avec Mélanie quand Mélanie lui a dit qu'elle avait laissé Pascal pour Jean-Simon. Elle savait que c'était une menterie. C'est Pascal qui avait cassé parce qu'il trippait sur moi. Il l'avait dit à Fred pis Fred l'avait dit à Marie-Ève. C'est à cause de Pascal que Mélanie me regardait croche tout le temps pis qu'elle cherchait la marde au centre d'achats. La crisse.

Avec Marie-Ève, on s'est rapprochées du feu. Il faisait froid ce soir-là. Il allait peut-être ben même neiger. MétéoMédia avait annoncé un risque de gel au sol, fallait rentrer les tomates, j'étais certaine que mon père l'oublierait. Mélanie est venue nous donner chacune une bière. Dans le fond, je trouvais ça dégueulasse, la bière. Ça fait que j'ai donné la mienne à Keven. Il m'a dit que je pouvais mettre mon CD de Bad Religion, si ça me tentait. Mélanie a sorti de la mess de sa sacoche. Elle m'a dit que c'était de la vraie, cette fois-là, pis elle s'est encore excusée pour la fois du McDo.

Jean-Simon vendait, pis sa mess était coupée à .5. Je savais pas ce que ça voulait dire, mais ça avait l'air d'être une bonne chose. Je lui ai dit que je voulais en faire. C'était dix piastres le gramme. Pascal m'en a acheté un, pis j'ai vidé la moitié du sac sur ma carte étudiante. Avec Marie-Ève, on a fait les lignes avec ma carte d'assurance maladie. J'ai pas vidé la mess sur la carte à cause des trous des lettres. La mess serait rentrée dedans pis on en aurait perdu plein. Je me rappelle que je me trouvais crissement quotiente d'avoir pensé à ça.

Marie-Ève m'a dit de faire juste une ligne pour commencer pour pas être trop gelée. Je me pensais bonne, ça fait que j'ai sniffé deux grosses tracks insignifiantes. Ça a pris dix minutes, j'étais étourdie pis j'ai commencé à avoir la gueule molle. Ça a l'air que j'ai répété les mêmes affaires cent fois. Je demandais à quelle heure la dernière bus passait devant le dépanneur. Vers la fin de la veillée, Marie-Ève m'a dit que j'étais tache. J'aurais dû l'écouter pis faire juste une track. J'ai ri, pis on est allées danser proche du stéréo à Keven. Je stressais encore avec l'horaire d'autobus, mais je me rappelle que c'était une toune des Sex Pistols qui jouait pis qu'elle durait pour toujours. Luc était saoul pis gelé comme une balle. Il avait toujours des esties de plans de nègre pis là il s'est mis à garrocher des bouteilles de bière vides en bas du cran. Les bouteilles tombaient sur la pelouse pis dans les piscines du monde qui habitait à côté du terrain de baseball. Ils ont sûrement appelé la police parce que les coches sont arrivés en quatre-roues, ils ont éteindu le feu avec des poches de sable pis ils ont vidé les bières qui restaient.

Quand ils les avaient entendus, les gars de Saint-Ho étaient partis à courir vers leurs motocross pis ils avaient crissé leur camp par la trail. Vu qu'ils étaient juste deux, les bœufs leur avaient pas couru après. Pendant que les gars de Saint-Ho se poussaient, Jean-Simon avait eu le temps de jeter ses sacs de mess à terre. La police qui nous fouillait a dit qu'il savait que la dope était dans ses poches. Ils venaient éteindre le feu chaque vendredi depuis le début de l'été pis ils avaient l'air écœurés de nous autres. Ils devaient avoir hâte à l'hiver pour qu'on décrisse ailleurs. Ils connaissaient Jean-Simon parce qu'ils l'avaient déjà arrêté avec du buvard pis du hasch au terminus. Jean-Simon avait un dossier criminel pour adolescent depuis ce temps-là. Fallait pas qu'il se refasse pogner à vendre s'il voulait pas retourner à l'Institut Saint-Georges. Il avait passé l'été là. Le juge l'avait obligé à faire une désintox pis une thérapie de groupe. Les deux agents ont rien pu faire sauf le traiter de petit tabarnac.

Quand ils sont arrivés à moi, j'ai vu qu'il y en avait un roux. Crisse que c'était pas crédible, une police rousse. Son partner était pas mal plus épeurant, par exemple, pis il avait pas l'air de sortir de l'école de police. Il a fouillé dans ma sacoche pis il a trouvé un bill de cinq roulé

pis un petit sac. Je me suis mise à pleurer, je me rappelais plus de mon adresse pis j'ai eu peur qu'ils appel-
lent chez nous. Mais les polices ont appelé personne.
Avant d'embarquer sur leurs quatre-roues, ils nous ont
dit qu'ils reviendraient dans une heure pis qu'on était
mieux d'être rentrés chez nos mères.

CHRISTIANE F. couchait avec Detlev pis je voulais
faire pareil avec Pascal. Pour ça, fallait que je prenne la
pilule, mais je savais pas que j'avais pas besoin de ma
mère pour que le médecin me la donne, vu que j'avais
quatorze ans. Le dimanche après-midi, elle pis moi on
lisait souvent dans le salon. Je m'assoyais dans le gros
La-Z-Boy proche de la fenêtre, pis ma mère s'évachait
sur le divan avec sa pile de magazines pis sa couverte
de laine. C'était le fun parce qu'on se faisait du thé pis
on trempait nos biscuits Petit Beurre dedans. Ma mère
avait reçu en cadeau une boîte de thé vert à sa nouvelle
job, pis on avait hâte de l'essayer vu qu'on aimait ça,
les affaires chinoises. Sauf que le thé goûtait le carton
de la boîte, on l'a vidé dans l'évier pis on s'est fait du
Salada avec du lait comme d'habitude.

Ça faisait deux semaines que je voulais demander
de quoi à ma mère. C'était le temps, elle avait l'air de

bonne humeur, elle m'avait pas parlé de mon père de la journée. Elle avait arrêté de relire *Les manipulateurs sont parmi nous* pis elle venait de commencer *L'ours noir d'Amérique, prince des ténèbres.* Ce qui était drôle avec ce livre-là, c'est que ça parlait pas pantoute d'ours, mais je savais pas trop de quoi ça parlait non plus. Ça ressemblait plus à un livre de secte. Moi, j'étais rendue au bout où Christiane sort pour la première fois au Sound. Ma mère est allée aux toilettes pis, quand elle est revenue s'asseoir, je lui ai dit que plein de filles à mon école prenaient la pilule pis je lui ai demandé sans respirer si je pouvais la prendre moi aussi. Ça me rendrait régulière pis ça arrêterait mes mals de ventre. Ma mère s'est tout de suite pompée. Elle avait pas une poignée dans le dos, je pensais-tu que c'était une cave? Elle s'est levée pour aller envoyer un fax à mon père. Mes parents se parlaient juste par fax, sinon ils s'engueulaient trop.

À l'Halloween, deux semaines avant, on avait entendu sonner à la porte. Il devait être environ quatre heures et demie. On trouvait ça de bonne heure pour que le monde passe par les maisons. Ça devait être la voisine pis sa petite fille de trois ans. J'ai pris une poignée de bonbons dans le plat pis j'ai ouvert la porte. C'était mon père. Il m'a même pas dit salut pis il m'a demandé était où, ma mère. Devait y avoir quelqu'un de mort. Ma mère était au téléphone avec je sais plus qui. J'ai demandé à mon père s'il voulait rentrer. Il aimait mieux pas. On est restés cinq dix minutes dans le cadre de porte sans rien dire. Ça a été les minutes les plus longues de ma vie. Je comprenais pas pourquoi mon père me demandait pas comment ça allait à l'école. Il avait juste trois sujets, avec moi. En tout cas, ma mère a fini par raccrocher pis elle est venue en soupirant voir ce que mon père lui voulait.

Depuis le divorce, mes parents s'ostinaient sur ce qui était à l'un ou à l'autre. Ma mère l'achalait pour ravoir ses sculptures d'Esquimaux en pierre à savon, pis mon père était venu ce soir-là pour que ma mère lui redonne son long-jeu de Supertramp. Ma mère a jamais voulu.

Elle disait que c'était elle qui l'avait acheté au show de Québec en 1976. Roger Hodgson avait invité ma mère pis sa chum dans la roulotte du band après le concert. Ma mère me racontait souvent cette histoire-là. Elle était pas allée, dans la roulotte, mais sa chum, oui. Paraît qu'elle s'était fait pognasser en masse par Roger pis Rick Davies. L'amie de ma mère était ressortie de là avec la jupe toute croche, la chemise boutonnée en jalouse, pis elle saignait du nez.

Je savais qu'elle me racontait ça pour me faire peur. Elle me disait que même les gars qui ont l'air ben corrects peuvent être des violeurs cachés. Fallait que je me rappelle de ce qui était arrivé à sa chum avec les gars de Supertramp si l'envie de coucher avec un gars me pognait.

Mon père était en crisse à cause que ma mère lui donnait pas le vinyle. Il a commencé à parler vraiment fort dans le couloir. C'était juste une ostie de menteuse. C'était lui qui était allé au show de Supertramp, pas elle.

Il était de même, mon père. Il inventait des affaires pis il se croyait. Il avait jamais mis les pieds dans un show rock de sa vie, mais il jurait que c'était lui qui était allé à Québec en 76. Mon père a tassé ma mère pour rentrer. Il a pris le téléphone sans fil sur le comptoir de la cuisine pis il a dit qu'elle avait juste à appeler son frère Réjean si elle le croyait pas. C'était avec lui qu'il était allé voir Supertramp. Son frère était mort trois ans avant. Tout le monde le savait. Ma mère l'a traité de mongol. Mon père est ressorti du condo en laissant la porte grande ouverte. Il lui a crié de se le fourrer dans l'cul, son estie de long-jeu. Il s'achèterait le CD. Ça sonnait ben mieux que sa marde. Mais ma mère était tellement en furie à cause des sparages à mon père qu'elle est allée chercher le disque pis elle l'a suivi jusqu'à son char. Il était déjà en train de reculer dans l'entrée en chirant quand elle est arrivée dehors, ça fait qu'elle a garroché le vinyle sur le pick-up. Ma mère est revenue en dedans en sacrant pis en traitant mon père de malade mental. J'ai attendu qu'elle s'enferme dans sa chambre pis je suis sortie dehors ramasser le vinyle. Il était plein de neige, ça fait qu'en rentrant je l'ai essuyé avec le linge à vaisselle pis je l'ai remis dans le rack du salon avec les autres. Je pensais qu'elle ressortirait, au moins pour me préparer à souper. Ça arrêtait pas de sonner à la porte, pis après deux trois enfants ça me tentait plus de donner des bonbons. J'ai enlevé les décorations de la porte d'entrée, j'ai fermé toutes les lumières en dedans pis j'ai tiré le grand rideau du salon. C'était clair que ma mère viendrait pas me faire à manger. J'ai ramassé le plat de bonbons pis je suis allée m'écraser dans le divan. C'était *Jason* à la télé. J'étais rendue à la passe où les moniteurs de camp de vacances se font viander dans le bois pis je me suis caché la face dans la couverte à ma mère, parce que j'avais trop peur. J'ai eu le goût de rallumer la lumière pis de changer de poste. En même temps, j'aimais ça un peu, avoir peur, ça fait que j'ai toffé jusqu'à la fin. Je me suis couchée tout de suite après le film, mais j'ai pas été capable de m'endormir. Je m'étais mise à para-noïer que Jason était dans mon garde-robe ou caché en dessous de mon lit. J'ai regardé mon radio-réveil, il était minuit pile. J'ai commencé à avoir encore plus la chienne, c'était l'heure de Marie-Blanche. Je me rete-nais de regarder dans le miroir en face de mon lit. J'ai dit Marie-Blanche dans ma tête. Je voulais pas la voir, mais j'ai pas pu m'empêcher de la caller, Marie-Blanche, Marie-Blanche. J'ai entendu un gros boum. Le cœur a arrêté de me battre. J'étais certaine que Marie-Blanche fessait dans les murs pis qu'elle allait apparaître avec sa crisse de jaquette blanche pis sa face morte. Je me suis levée pis je me suis grouillée d'aller trouver ma mère dans sa chambre. J'ai fermé les yeux en passant devant le miroir. Ma mère aussi avait entendu le bruit parce qu'elle est arrivée dans le corridor au même moment. Je capotais. Il faisait frette pis y avait une draft de vent dans le condo. J'ai pris la main de ma mère pis on s'est avancées lentement dans le corridor. On comprenait pas qu'est-ce qui se passait pis on voyait rien, sauf une grosse lumière blanche au bout de l'appart. Quand on est arrivées dans le salon, j'ai compris que c'était à cause de la bay-window pétée en mille qu'il faisait frette. On a reconnu le pick-up de mon père sur le talus en face de chez nous. La plus grosse statue à ma mère, la statue d'ours, était en plein milieu de la place, dans les morceaux de vitre pis les papiers de bonbons. Ma mère a ramassé sa statue, c'était dur comme de la roche, cette ostie d'affaire-là. J'ai vu mon père qui marchait croche sur le terrain avec pas de manteau pis pas de gants. La porte du truck était ouverte, pis Supertramp jouait au fond, la toune qui répète tout le temps mummy dear, mummy dear. De la petite neige folle rentrait par la bay-window défoncée, pis ma mère disait rien. C'est à partir de ce jour-là que mes parents s'étaient mis à s'envoyer des fax au lieu de se parler. Les avocats disaient que c'était mieux de même. Comme de fait, les choses s'étaient calmées après ça.

Le dimanche où j'ai demandé à ma mère pour la pilule, mon père est venu au condo après le souper pour que je lui explique c'était quoi, mon histoire de pilule. Il voulait savoir pourquoi je voulais prendre cette cochonnerie de guidoune là. On était assis à la table de la cuisine, les trois. Ma mère venait de servir un digestif à mon père pis elle m'avait donné un verre de jus. J'ai répondu que toutes mes amies la prenaient pis que c'était pour être régulière. J'avais mal au ventre, aussi, pis ça me gossait. Ma mère m'a répété que c'était juste les filles faciles qui prenaient la pilule à quatorze ans. Si j'avais mal au ventre, j'avais juste à prendre deux tylénols extrafortes. Tous les petits gars de la poly le sauraient, si je prenais la pilule. Je passerais pour une

Jézabelle. Mon père en a rebeurré une couche en m'expliquant que les gars les mariaient pas, ces filles-là. Je m'en foutais pas mal. Marie-Ève la prenait, elle, la pilule, pis tout le monde voulait sortir avec.

Le lendemain, ma mère m'a emmenée au CLSC pour que je me fasse prescrire la pilule. On est allées à celui de Jonquière parce qu'elle connaissait une infirmière à celui de Chicoutimi. Dans l'auto, elle m'a dit que c'était mieux que je le dise pas à mon père. Ma mère devait penser que la pilule, c'était moins pire que de tomber enceinte. Elle avait dû penser à ça toute la nuit pis appeler son amie Guylaine en se levant, pour en parler. Guylaine lui avait sûrement dit que c'était une bonne chose. Était cool, elle, pis elle avait eu sa fille à quatorze ans. Elle savait de quoi elle parlait.

Le médecin a félicité ma mère, pour la pilule. Il m'a dit d'attendre trente jours avant d'avoir des relations sexuelles. Quand le médecin a dit relations sexuelles, j'ai ri. Ma mère m'a fait des gros yeux pis elle m'a dit que j'étais immature.

En revenant de Jonquière, on est allées prendre un café au Café Croissant. Ma mère m'emmenait là quand il fallait qu'elle me parle. Elle avait dû apprendre ça dans les trois cents livres sur l'éducation des adolescents qu'elle lisait, le soir, quand j'étais au centre d'achats. Elle arrêtait pas de me parler de temps de qualité pis d'affaires de même à cause de ces livres-là. Le dernier qu'elle avait acheté, c'était *Paroles pour adolescents ou Le complexe du homard.* Ça parlait d'enfants ingrats qui se font une carapace. Je me rappelle que je trouvais que de me comparer à un homard, c'était la chose la plus débile dans l'univers.

Je buvais pas de café, ça fait que j'ai pris un jus. Des étudiants de cégep travaillaient sur les tables un peu partout. On s'est trouvé une place proche de la fenêtre, même si y avait encore un reste de soupe pis le fond de café du client d'avant. Ils desservaient pas les tables au fur et à mesure dans ce restaurant-là, pis ça m'énervait. Ma mère a mis la soupe pis la tasse sur la table d'à côté pis elle a essuyé la nôtre avec une des napkins qu'elle gardait toujours dans sa sacoche. Elle a pris une gorgée de café en regardant les passants dehors. Elle a pas tourné autour du pot pendant cinq minutes comme d'habitude. Elle m'a regardée dans les yeux pis elle m'a dit que c'était hors de question que je couche avec Pascal. Je lui ai répondu que j'avais pas le goût de coucher avec tout de suite. Ça a eu l'air de marcher. Après, on a parlé de sa nouvelle couleur de cheveux pis de comment ça serait plaisant d'aller en Floride durant la semaine de relâche. Ma mère disait qu'on louerait le condo d'une tante à elle qui vivait la moitié de l'année à Fort Lauderdale. Je lui ai demandé si c'était loin du musée Salvador Dalí. Ma mère savait pas où c'était. Mon prof d'arts plastiques m'avait dit le nom de la ville, mais je l'avais oublié. C'était une place qui s'appelait comme un village en Russie, ou quelque chose du genre. Ma mère a dit qu'elle demanderait au mari de sa tante. Il était anesthésiste, il devait le savoir.

On a traversé au Jean Coutu en face pour acheter mes pilules. Le lendemain, j'ai commencé à faire des X dans le calendrier de mon agenda pis à penser à comment je pourrais m'arranger pour voler un porte-jarretelles d'ici trente jours. Je pouvais pas retourner à La Senza. La vendeuse m'avait regardée bizarre, la dernière fois, elle se doutait de quelque chose, j'étais sûre, pis je savais que mon père me tuerait si je me faisais pogner à voler dans un magasin. Je suis allée fouiller dans le tiroir à bobettes de ma mère au cas où elle en aurait acheté un. Mais y avait juste le costume de patineuse artistique. Je me demandais ce qui était arrivé aux bobettes pas de fond. Peut-être qu'elle les avait laissées chez son nouveau chum. Elle m'avait dit la veille qu'elle avait commencé à sortir avec un gars trois jours après avoir déménagé dans le condo. C'était pas surprenant. Ma mère avait jamais été célibataire plus que dix minutes depuis ses premières menstruations.

ON ÉTAIT LE 12 NOVEMBRE pis y avait déjà un pied de neige. Les gars du trou avaient décidé de construire un campe. On pouvait pas se tenir au trou l'hiver. Ça nous prenait une autre place. Le père à Keven les a aidés à le construire. C'était un gars de la construction pis il leur a donné des vieux matériaux au lieu d'aller les domper au dépôt sec le soir. Pascal racontait partout que notre campe serait le plus gros de Chicout. Ils l'isoleraient même pour l'hiver. Le père à Keven avait un deal sur la laine minérale au Potvin & Bouchard.

Le plus malade, c'est qu'il y aurait une mezzanine avec des vieux matelas simples sur le plancher pour qu'on dorme là. On aurait aussi une truie pour chauffer le campe. La mère à Keven nous donnerait ses deux anciens divans qui traînaient dans leur sous-sol. On les mettrait à côté de la truie. On apporterait aussi une table pour jouer au trou de cul pis à la chasse à l'as, pis un stéréo pour danser. C'est Keven qui avait parlé de danse, les filles viendraient pas sinon.

La police voulait pas que les jeunes construisent des campes dans le bois, mais tout le monde s'en sacrait. Impossible de marcher plus qu'une heure dans le bois sans tomber sur un campe. Tous les flots de Chicoutimi pis de Chicoutimi-Nord s'en bâtissaient un pour passer leurs fins de semaine dedans. C'était comme les chalets de nos parents sur les monts Valin mais en plus le fun pis en moins beau. Les parents pis la police aimaient pas ça, ces histoires de campes là. Y avait rien de bon pour les jeunes dans ces places-là. C'était rien que de la boisson, de la drogue pis du sexe. Paraissait même qu'il y avait des petites filles qui s'étaient fait violer par plein de gars le même soir. Ma mère avait peur pour le feu, en plus. L'été d'avant, la moitié du bois en arrière des chutes Valin avait brûlé à cause d'une gang de jeunes, pis les maisons proches avaient manqué passer au feu. Mais on était pas des têtes de chat comme eux autres, pis le père à Keven nous avait expliqué comment nous organiser pour pas que ça arrive. De toute façon, il se passait trop d'affaires heavy là-dedans, pis le maire de Chicoutimi avait décidé de mettre un wô là-dessus. C'est pour ça que Keven, son père pis les autres gars avaient décidé de bâtir le campe loin, dans le fin fond de Chicoutimi-Nord, proche de Saint-Honoré. C'était une crisse de bonne idée, parce que c'est la SQ qui avait le contrôle de ce secteur-là. Y avait deux chars pour couvrir un territoire de deux cents kilomètres pis une population de Satan's Guards pis de restants de crosse pour les tenir occupés. Les gars de la SQ auraient d'autres choses à faire que de venir nous écœurer dans notre forêt.

À la fin du mois de novembre, le campe était fini de construire. On a pendu la crémaillère en invitant juste notre gang, pour que le monde bavasse pas c'est où. Y en avait qui décâlissaient le campe des autres pour le fun. À cause de ça, Keven nous a dit qu'il fallait pas parler du campe à personne.

On avait pas peur de marcher dans la trail pour se rendre le jour, mais le soir avec une flashlight, c'était *L'opéra de la terreur.* Tout le long en montant, j'arrêtais pas de penser à la passe des arbres démoniaques qui violent la fille. Ça fait que Marie-Ève pis moi, le soir du party, on voulait pas se rendre toutes seules au campe. On a exigé qu'un gars vienne nous chercher à l'entrée de la trail.

Jean-Simon nous a dit qu'il nous attendrait en bas vers sept heures et demie. Quand on est arrivées, Mélanie était pas avec lui. Il était avec Pascal pis Keven. Je me rappelle qu'on trouvait les gars cutes d'être venus nous chercher à trois pis qu'on avait ri d'eux autres. On était certaines qu'ils avaient autant peur que nous autres de marcher dans le noir.

Ça prenait une demi-heure pour monter au campe à partir de la route, mais on commençait à entendre jouer la musique passé le ruisseau. Keven avait fait un mix spécialement pour le party pis on entendait une toune des Stray Cats. Il était en train de virer encore plus rockabilly depuis une couple de semaines. Il s'était acheté des jeans serrés pis un chandail des Cramps, pis je me rappelle que dans le sentier je le trouvais beau pis j'avais le goût de le frencher.

Les autres gars traitaient Keven de tapette à cause des jeans serrés. Mais toutes les filles trouvaient ça hot. On s'était mises à s'habiller en rock nous autres avec après les premières fois au trou. Les gars ont suivi pas longtemps après, même s'ils portaient pas des jeans aussi stretch que Keven. Moi, j'avais gardé mes Doc, mais je mettais plein de linge léopard pis je me faisais des chignons bananes. Je m'imaginais que Christiane F. s'habillait comme ça, pis je voulais des bottes à talons comme celles de David Bowie. Keven me trouvait belle, arrangée en rock. Il me l'a dit le soir du party, pendant que Pascal fumait aux couteaux en haut avec un gars de Valin. On était assis sur le divan carreauté à côté du poêle à bois pis les cuisses me brûlaient, tellement il était chaud. Keven cherchait un CD dans son sac. C'était fou comment son look avait tout le temps l'air de sortir d'un film. Il aurait pu être en noir et blanc, pis personne aurait trouvé ça bizarre. J'avais jamais vu un sac bien dessiné de même. C'était un sac Lavoie comme tous les sacs de la gang. On les barbouillait avec du correcteur blanc. On écrivait des noms de groupes dessus, on dessinait des feuilles de pot, pis Isabelle avait même copié les paroles d'une toune des Runaways sur le sien. Sauf que le sac à Keven, c'était de l'art. Il avait reproduit trois covers d'albums de Bowie sur le dos du sac. Il disait que c'était les meilleurs. Ça avait dû prendre quatre jours à sécher. Sur le devant, il avait écrit KURT COBAIN IS NOT DEAD, 1967~1994 de cinquante-huit façons différentes. Je suis certaine qu'il aurait pu revendre son sac trois cents piastres au Planète Rock. Keven s'est tanné de chercher, ça fait qu'il l'a vidé à terre. Une dizaine de cassettes mixées pis un CD live des Stooges à Berlin pis d'autres de groupes que j'aimais, une lampe de poche, un livre sur les Stones, un zippo, pis un agenda avec des photos de bands pis une photo de chien collées dessus. Je lui ai demandé si le chien était à lui. Il m'a passé son agenda comme pour que je le regarde plus. Il a ramassé un des CD pis il a remis le reste de ses affaires dans son sac. J'ai voulu savoir c'était quelle race, le chien. Un wheaten terrier. Ses parents étaient allés le chercher chez un éleveur ontarien. Paraissait que c'était une race assez rare pis que la mère du chien avait gagné plein de concours de beauté canine. Je trouvais ça vraiment gai, les concours de chiens. En plus, j'avais vu Brigitte Bardot en parler à la télé une fois. Elle disait que c'était de la cruauté envers les animaux. Je l'ai pas dit à Keven, il venait de me faire un compliment. Je voulais être fine avec, mais ça m'avait fait drôle qu'il me dise que j'étais belle. Il m'avait presque jamais parlé avant ce soir-là. Je lui ai redonné son agenda, pis il est allé mettre «(She's) Sexy + 17». Marie-Ève s'est levée de l'autre divan pis elle s'est mise à danser. Mélissa, Annie pis Isabelle sont allées la rejoindre. Mélissa avait l'air un peu épaisse, les deux sœurs dansaient pas pire bien avec des moves de sœurs jumelles qu'elles faisaient pour que les gars les regardent, pis Marie-Ève bougeait son cul d'une manière que son père aurait pas aimée. Je suis allée danser avec elle en essayant de l'imiter.

J'avais sûrement l'air d'une conne pis je me demandais si Keven me regardait ou s'il regardait les sœurs Imbault. Quand «Search and Destroy» a embarqué, j'avais chaud, ça fait que j'ai décidé de sortir dehors.

J'avais pas pris mon manteau, pis on gelait. C'était dangereux sur le bord du campe parce que c'était glissant. Il faisait noir comme chez le diable, y avait pas de lune. On voyait rien pis je savais qu'il y avait plein de vieilles planches avec des clous rouillés plantés dedans en dessous de la neige. Ma mère disait tout le temps qu'on pouvait pogner le tétanos en marchant sur des clous rouillés. J'ai failli piler sur un en longeant le campe pour aller m'asseoir sur la grosse roche, en arrière.

Je suis restée assise sur la roche environ dix minutes. J'avais la chair de poule, mais je voulais pas rentrer en dedans tout de suite. Il faisait trop chaud pis j'étais gênée à cause de ce que Keven m'avait dit. J'espérais que Pascal viendrait me rejoindre, mais il devait être couché ben stone avec sa torche à souder sur un matelas parce qu'il s'est jamais pointé.

Marie-Ève a ouvert la porte du campe pis elle a crié Catherine une couple de fois. J'ai pas répondu. C'était Nine Inch Nails qui jouait. Elle est retournée en dedans. Je m'étais assise sur mes mains pour pas salir ma jupe. J'ai encore entendu la toune jouer plus fort pis la porte du campe s'ouvrir pis claquer. Marie-Ève avait sûrement décidé de continuer à me tacher. Mais c'était Keven, avec sa lampe de poche pis mon manteau dans les mains.

Il est monté s'asseoir à côté de moi sur la roche. J'étais contente parce que je commençais à avoir crissement frette. On s'est levés tout de suite pour aller se cacher du vent sur le bord du ruisseau.

Je me suis tenue après les branches pis le tronc des épinettes mortes qui étaient tombées dans la forêt, tout le long en descendant. Keven marchait devant moi avec sa flashlight. La lumière faisait un espèce de cône blanc pis on voyait les souches des arbres que le vent avait déracinés pis couchés à terre. La forêt craquait pis bougeait, j'hallucinais des loups pis des ours partout. Keven m'a dit qu'il avait jamais vu une fille avoir peur des souches de même. Arrivés au ruisseau, on s'est assis sur un tronc d'épinette. Je voulais pas gommer ma jupe, mais je me suis dit que ça serait correct, la sève devait être gelée. Le ruisseau aussi était en train de geler. Je regardais l'eau couler en dessous de la petite couche de glace pis j'avais envie d'en boire.

Keven a sorti de la mess de sa froque. Il m'a donné un bill roulé pis j'ai sniffé direct dans le sac. J'en ai pris plus que d'habitude parce que cette mess-là était pas aussi bonne que celle à Jean-Simon. Elle venait du gars de Valin. Il devait de l'argent à Keven pis il l'avait payé en mess. C'était un vedge qui avait jamais une cenne pis qui tétait tout le temps de la bière pis des tops à tout le monde. On comprenait pas, mais Keven nous disait de lui crisser patience, que c'était pas de sa faute, il était pas chanceux dans la vie. Keven a sniffé le reste du sac pis je lui ai dit qu'on devrait retourner en dedans avant que Pascal me cherche. Keven a arrangé le col de mon manteau en me regardant comme assommé pis en souriant pour rien. Mon cœur battait vite. J'avais jamais remarqué qu'il avait les dents si droites, il avait dû porter des broches, certain. Il a pris ma main pour m'aider à me lever pis on est remontés jusqu'au campe. J'ai failli tomber une fois à cause de la neige, mais c'est pas arrivé, Keven m'a retenue.

Quand on est rentrés dans le campe, Pascal avait son manteau sur le dos pis il attachait ses bottes. En nous voyant, il s'est relevé. Il était buzzé sur le pot pis il se demandait où j'étais passée tout ce temps-là. Keven s'est dépêché d'accrocher son manteau sur le bord de la porte avec les autres pis il est allé changer la musique. Les sœurs Imbault ont crié qu'elles voulaient du Depeche Mode, Mélissa a applaudi. J'ai dit à Pascal que j'étais sur la roche en arrière, j'avais mal au cœur. J'ai pas parlé du ruisseau. Pascal me cherchait pour que je vienne me coucher avec lui sur un des matelas de la mezzanine. Il m'a laissée monter en premier par l'échelle, pis j'ai vu Marie-Ève, Jean-Simon pis Fred sur le même matelas. Elle était en brassière, elle avait des plus gros seins que je pensais. Son chum était en train de détacher ses jeans. Jean-Simon, lui, essayait de dégrafer sa brassière. Je me demandais était où, Mélanie.

Avec Pascal, on est allés sur le matelas du fond. Il m'a demandé si ça me tentait. Les trente jours étaient pas passés, ça fait que je lui ai dit non. Il a pas eu l'air de trouver ça grave. Il s'est mis à me frencher intense d'un coup. J'ai commencé à aimer ça quand j'ai imaginé Keven à sa place. En bas, y avait une bonne toune qui jouait, mais je savais pas c'était quoi.

Je suis restée longtemps sur le matelas avec Pascal. Lui, il s'est endormi au bout de pas long. Ça lui arrivait tout le temps quand il buvait trop de bière pis qu'il fumait. Il s'endormait n'importe où pis n'importe comment. Je me demandais comment il pouvait dormir avec la musique si forte pis les filles qui gueulaient en bas.

Pascal dormait la bouche ouverte pis il me soufflait son haleine de pot dans face. Je me suis retournée parce que ça m'écœurait. Marie-Ève, Jean-Simon pis Fred faisaient toutes sortes d'affaires à côté de nous. Marie-Ève était rendue toute nue pis Fred la lichait entre les jambes. Elle se tortillait pis Jean-Simon les regardait. À un moment donné, il a commencé à se crosser en me fixant. J'étais vraiment gênée. Je me suis revirée de bord pis j'ai fait la morte. J'ai attendu genre quinze minutes pis je me suis retournée pour checker si Jean-Simon me regardait encore. Non, il suçait Fred. Marie-Ève dormait coma à côté d'eux autres. J'étais certaine qu'ils étaient pas gais, c'est parce qu'ils étaient ben stones tous les deux. En même temps, plus je les regardais aller, plus je trouvais que Jean-Simon était trop dedans. Il était sûrement tapette, dans le fond.

Je me suis réveillée sur le matelas quand il a commencé à faire clair. La musique jouait encore mais moins fort que la veille. Il devait être six ou sept heures du matin. C'était difficile de le savoir parce que j'avais laissé ma montre dans ma sacoche. Y avait du monde enroulé dans leur sleeping bag sur tous les matelas. En bas, des gars jouaient encore au bock. J'entendais le vingt-cinq cennes revoler sur la table pis les gars rire. Je me suis levée pis je suis descendue par l'échelle en essayant de pas réveiller Pascal pis les autres.

J'avais mal à la tête pis la bouche pâteuse. Keven dormait sur le divan avec son sac à dos comme oreiller pis les deux mains en dessous de la joue. On aurait dit qu'il avait huit ans. Quand je suis passée à côté de lui pour ramasser ma sacoche, il a pris ma main pis il m'a tirée vers lui. Je suis restée couchée en cuillère avec cinq dix minutes, même si je trouvais qu'il sentait le fond de tonne quand il me respirait dans le cou. Je sais pas si Keven était somnambule ou s'il fakait de dormir quand il m'a pris la main, mais il a jamais ouvert ses yeux de la ronne.

Je me suis levée du divan pis je suis allée ouvrir la fenêtre de la porte pour aérer la place. Le campe puait la vieille top pis la brosse. Une fille que je connaissais pas qui était couchée dans le courant d'air s'est retournée dans le sofa en chialant que crisse, on gelait. J'ai laissé la fenêtre ouverte pis je lui ai tiré un manteau pour qu'elle puisse s'abriller avec. Jean-Simon est descendu en boxers pis en chandail à capuche. Je lui ai demandé était où, Mélanie. En voyage avec ses parents, à Cancún ou à Caracas, il s'en souvenait plus. J'ai pas compris, parce que je pensais qu'ils étaient sur le BS, moi, ses parents. En tout cas. Jean-Simon a regardé le gars de Valin pis Fred. Il leur a dit de décrisser de la table, c'était plus le temps de jouer au bock, c'était l'heure de déjeuner, pis il est sorti en pieds de bas sur la galerie pour pisser en laissant la porte du campe grande ouverte. Je me suis dépêchée d'aller la refermer derrière lui. Je savais pas que Jean-Simon était à pic de même en se réveillant. Les gars sont sortis dehors pour pisser eux autres avec.

Il commençait à neiger. Jean-Simon cherchait partout le pain que Marie-Ève avait apporté. On se ferait des toasts. Jean-Simon m'a demandé si j'étais capable de starter un feu. Mon père m'avait montré comment. Je me suis habillée pis je suis sortie ramasser du petit bois pis de l'écorce de bouleau qu'on gardait en dessous du campe. Je me suis dit que la place à côté de la grosse roche était parfaite pour un feu, y avait rien autour. J'ai allumé l'écorce pis j'ai rajouté le bois sec. Mon feu prenait pas à cause qu'il neigeait des peaux de lièvre. Fallu que je le restarte trois fois. Jean-Simon est venu me rejoindre. On a piqué des tranches de pain au bout d'une branche, pis je les ai fait toaster. Rendus en dedans, on a réalisé que personne avait pensé à apporter de quoi pour mettre dessus pis qu'on avait rien à boire. On est descendus au ruisseau avec nos toasts frettes dans les mains. Jean-Simon a donné des petits coups de pied sur la glace, pis on a pu boire. J'ai bu pas mal d'eau. J'avais peur de pogner la chiasse. Ma mère m'avait déjà dit en camping qu'il fallait juste que je boive l'eau de la ville si je voulais pas que ça arrive.

J'ai dit à Jean-Simon que j'avais mal à la tête. Il a sorti un joint de sa poche de chemise pis il m'a dit qu'on devrait le fumer pis que ça me passerait. J'ai pris deux poffes pis j'ai tout de suite eu mal au cœur. J'ai vomi sur le bord du ruisseau pis Jean-Simon a ri de moi en finissant de fumer le joint. Après, on est rentrés en dedans. La fille au manteau dormait encore, mais Keven pis les autres étaient réveillés pis effoirés dans les divans. Fred disait qu'il était tanné d'acheter sa mess aux motards. Elle était coupée à .20. Ils le prenaient pour un innocent pis Fred savait qu'ils lui vendraient jamais du PC pur pour qu'il brasse lui-même. Il avait entendu dire qu'il pourrait en acheter sans se faire chier par les Satan's Guards s'il traversait le Parc. Leur territoire arrêtait à L'Étape. Keven s'est levé pis il a mis de la musique. Je connaissais pas la chanson qui jouait, mais j'étais convaincue que c'était du David Bowie. Je savais que Christiane l'aimait, lui, pis je savais aussi qu'elle aurait aimé Keven. Dans le divan, Pascal arrêtait pas de me jouer dans les cheveux. J'ai toujours un peu haï ça, qu'on me joue dans tête. Je lui ai dit d'arrêter pis il m'a traitée de pisseuse. Je l'ai envoyé chier. Marie-Ève pis moi on s'est levées pis on est sorties se laver la face au ruisseau.

J'ai eu le goût de passer le reste de la journée au campe pis de refaire un peu de mess. Ma mère m'attendait pas de toute façon. Elle était partie pour la fin de semaine au chalet de son nouveau chum. Elle disait qu'à quatorze ans, j'étais capable de me garder toute seule. J'avais juste à aller chez mon père si quelque chose marchait pas. J'étais ben contente pis j'avais pas pantoute l'intention d'aller chez mon père.

Marie-Ève, il lui restait encore de la mess de la veille. En plus, la sienne était meilleure que celle de Keven. J'en ai sniffé trois quatre tracks. Marie-Ève trouvait que j'exagérais. Je commençais à me sentir floue. Je lui ai dit qu'en tout cas, son chum était pas mal open. Marie-Ève m'a demandé si j'étais une nonne ou quoi.

Pascal est parti vers dix heures du matin avec les sœurs Imbault pis le gars de Valin. Il a dit qu'il fallait qu'il aille aider son père à laver le truck. La mess avait embarqué, ça fait que je sais pas s'il m'a dit salut avant de partir. J'étais assise sur le divan pis je regardais la neige tomber en me demandant ce qu'on mangerait pour dîner. On avait pas grand-chose, mais je me rappelais que Keven avait des Corn Pops. Je savais que, rendue à l'heure du dîner, j'aurais pas super faim, mais on aurait jamais assez de céréales pour tout le monde. C'est là que j'ai astucé qu'on pourrait aller poser des collets à lièvre. La veille, j'avais vu un rouleau de fil de cuivre accroché à un clou en arrière de la truie. J'ai parlé de mon plan à Keven, il a dit que c'était une maudite bonne idée.

À part nous, personne voulait venir poser des collets. Marie-Ève riait de moi pis Keven. Elle nous appelait les Robinson Crusoé. On a mis nos manteaux pis on est sortis avec une paire de long-nose pis le rouleau de fil. J'étais pas certaine de savoir poser des collets à lièvre, mais Keven le saurait, lui.

On a marché un peu dans le bois. On cherchait des traces de lièvre. Keven m'a expliqué qu'on les verrait dans la neige pis que c'était là qu'il fallait poser les collets. J'étais contente qu'il sache chasser. Quand j'étais petite, mon père disait tout le temps que les vrais hommes savent chasser n'importe quoi. Comme ça, si la fin du monde arrive, ils peuvent nourrir leur famille. Les lièvres, c'était un bon commencement.

Au bout de quinze minutes, j'étais trop stone pour marcher. J'ai demandé à Keven si on pouvait s'asseoir un peu. Y avait pas de place autour. Il m'a dit que je serais mieux de m'asseoir sur lui si je voulais pas pogner les hémorroïdes. Keven s'est assis en Indien dans la neige, pis je me suis assise sur lui. Il sentait encore la robine. Il a commencé à me flatter les cheveux pis la joue, pis à me dire que j'aurais pas dû faire de la mess de même à matin. J'ai rien dit même si ça m'énervait, les cheveux.

Je regardais la forêt, y avait pas de bois mort dans ce coin-là. À un moment donné, Keven a dit que c'était beau, icitte. Son chien aurait aimé ça, courir avec nous autres. Il nous aurait aidés à pogner des lièvres. Moi, ça m'aurait tenté de flatter le chien. J'haïssais ça, courir. Keven m'a demandé si j'avais déjà fait du nexus. Je savais que c'était des genres de pilules qui speedaient. J'en avais jamais pris. Keven m'a dit qu'il en avait tout de suite là. Ça annulerait sûrement ma mess un peu. Il avait pas l'air de connaître trop trop ça, lui non plus. Il a sorti des pilules de sa poche de froque. Je lui ai dit de se zipper, il faisait froid. Keven a enroulé son foulard autour de son cou pis il s'est pas zippé. Il a dit qu'il était immunisé contre l'hiver. J'ai rien répondu, je savais tellement que c'était pour garder son look de rockstar même dans le fin fond du bois. On a gobé chacun une pilule. On a continué à se promener dans le bois, après. On a dû poser cinq ou six collets pis on avait pas de ruban de chasse pour marquer c'était où. Je me rappelle pas si on s'est parlé du reste de notre marche.

Quand on est revenus au campe, tout le monde était en panique. Ça faisait trois heures qu'ils nous attendaient en capotant. Keven avait les mains pis les pieds gelés, pis moi j'étais en hypothermie. C'est ça qu'ils ont dit à l'urgence, en tout cas.

C'est Marie-Ève qui a insisté pour qu'on aille à l'hôpital. Elle avait vu à la télé que des alpinistes avaient perdu des membres parce qu'ils se les étaient gelés en montant le mont Everest. À l'urgence, ils m'ont fait un lavement d'estomac. J'ai prié tout le long pour pas dégueuler parce que l'infirmière, une madame de quatre pieds un qui parlait vite, m'a dit qu'il faudrait recommencer si je vomissais. Après, elle m'a dit d'arrêter de prendre de la cochonnerie pis de m'habiller comme du monde quand j'allais dans la forêt. Elle a pas appelé ma mère. Elle avait l'air de s'en sacrer. De toute façon, y avait pas le téléphone au chalet du chum à ma mère.

NOËL APPROCHAIT pis mes parents s'ostinaient pour savoir chez qui j'allais le passer. J'ai coupé ça court en disant à ma mère que je réveillonnerais chez Pascal. Elle m'a traitée de fille ingrate pis elle a parlé de ses maudits enfants homards. Au téléphone, mon père m'a dit que j'avais juste à venir le voir quand ça me tenterait. Ça arriverait pas, pis il le savait. J'imagine qu'il avait dit ça pour se débarrasser. Il avait une nouvelle blonde lui avec pis il devait être en train de s'organiser pour qu'elle déménage chez eux.

Ma mère était presque jamais au condo. Elle passait sa vie chez son nouveau chum. J'en profitais pour inviter Pascal chez nous après l'école. J'étais écœurée de sa chambre. Sa couverte de tigre puait la top pis son père était pas fort sur le ménage. Je sortais chaque fois avec les yeux qui piquaient pis le nez qui coulait. Je suis allergique aux chats pis Pascal en avait deux. C'était des genres de chats qu'on sait pas trop s'ils ont le poil long ou le poil court. Deux frères noir et blanc. La chatte de la voisine avait eu une portée de chatons, pis Pascal pis son père avaient décidé de prendre les deux derniers pour pas les séparer. J'ai toujours trouvé ça BS, les chats noir et blanc. C'est la sorte qui perd le plus son poil au monde. En plus, un des chats de Pascal pissait dans le fond du garde-robe de sa chambre. Ça sentait toujours la pisse dans l'appart. Ça avait pas l'air de déranger Pascal pis son père, mais c'était crissement dégueulasse. Surtout que Pascal avait l'habitude de garrocher son linge dans le fond de son garde-robe au lieu de l'accrocher. Quand il voulait un morceau, fallait tout le temps qu'il le sente pour savoir si le chat avait pissé dessus. Ça me levait le cœur. J'ai toujours été malécœureuse pour ces affaires-là. J'haïs tout ce qui a rapport à la pisse pis à la marde. Ça énervait Pascal. Il disait que c'était parce que j'étais une snob que j'étais de même. Je m'en venais pisseuse comme Véronique pis Sarah.

Ça faisait trente jours que je prenais la pilule pis le trentième jour j'ai invité Pascal chez nous après l'école. Je revenais toujours de la poly à trois heures et quart. J'ai appelé ma mère pour savoir si je l'attendais pour souper ou si je me décongelais de quoi. Elle a dit qu'elle couchait chez son chum pis qu'elle m'avait préparé un macaroni. J'avais juste à ajouter un peu d'eau dedans pour pas que ça soit sec pis à le réchauffer au micro-ondes.

Je suis allée jeter le macaroni dans le container en arrière du bloc. Je voulais pas que ma mère s'en aperçoive. Elle avait toujours peur que je mange pas. Elle avait lu dans ses livres sur les adolescents que ça pouvait être un signe d'anorexie ou, pire, de toxicomanie. Christiane mangeait rien, pour rentrer dans ses jeans serrés pis, surtout, parce que l'héroïne coupe la faim. Moi je mangeais plus grand-chose depuis un bout pis je rentrais dans n'importe quoi.

Je me demandais souvent si c'était la mess qui me coupait l'appétit. Toutes les filles qui en faisaient étaient raide maigres. Sauf Mélanie. Elle, j'ai jamais compris pourquoi elle gardait sa bedaine de danseuse avec toute la mess qu'elle prenait. C'est Pascal qui appelait ça de même. Il disait que les topless avaient toujours un ventre même si elles étaient full bien faites d'ailleurs.

Pascal a sonné à la porte vers quatre heures. Il sentait pas la top ni la pisse de chat. C'était un bon début. Il sentait le Drakkar Noir à son père. On est allés dans ma chambre pis j'ai mis du vieux Aerosmith. Pas les tounes de marde avec Liv Tyler pis Alicia Silverstone qui se pensent belles pis qui passaient dix fois par jour à MusiquePlus. Non, celles qui étaient sur le mix à Keven.

Pascal haïssait Aerosmith. C'était de la musique de tapettes, pis il m'a tachée pour mettre Pennywise. J'avais beau lui expliquer que «Dream On», c'était une des meilleures chansons de tous les temps, il voulait rien savoir. J'ai mis son ostie de musique pseudo-punk pour lui faire plaisir pis pour qu'il arrête de lyrer.

On était assis sur mon lit. J'ai commencé à frencher Pascal. Je me rappelle qu'il arrêtait pas d'enfoncer pis de tourner sa langue dans ma bouche. La bave aussi, ça m'écœure. Pendant qu'on s'embrassait, j'arrêtais pas de penser que j'avais pas réussi à trouver de porte-jarretelles. Pis j'étais certaine que Keven embrassait mieux que mon chum.

Pascal m'a enlevé mon chandail. Il avait de la misère à dégrafer ma brassière parce qu'il tremblait comme un puceau. Je comprenais pas pourquoi il avait le shake. Je savais qu'il avait baisé Mélanie full pine. Il était pas supposé trembler de même. En tout cas. J'ai détaché ma brassière pour l'aider. Après, j'ai dézippé ses jeans. Il avait des boxers avec le logo de Batman dessus. Je le trouvais power gigon d'avoir choisi ces bobettes-là pour notre première fois. Je l'avais jamais vu dans des boxers pas gigons, remarque. Il en avait une paire avec Superman, une autre toute blanche trouée dans le fond pis une couple de paires noires déteindues.

J'ai dit à Pascal que j'étais prête. J'avais mis des draps propres pis monté le chauffage à vingt-cinq pour pas geler comme chez eux. Je m'étais collé un post-it à côté de la switch de la lumière pour me souvenir de le rebaisser quand Pascal partirait. Ma mère capotait quand je mettais trop de chauffage. Fallait pas que le bill d'Hydro monte. Je me suis couchée sur le lit, pis Pascal m'a embarqué dessus. Je me rappelle qu'il arrêtait pas de zigner, qu'il était pesant pis que je me retenais crissement pour pas rire. Pascal m'a demandé si je savais mettre un condom avec ma bouche. Trop pas. Il se l'est mis lui-même pendant que j'attendais. Je savais plus où regarder pour pas le mettre mal. Il s'était

84

ramassé un chignon qui tenait avec un crayon HB, pis je me suis rendu compte qu'il ressemblait pas tant à Kurt Cobain, finalement.

Pascal s'est replacé au-dessus de moi pis il a essayé de rentrer son pénis, mais il a jamais été capable. Il a zigonné pendant dix minutes. Il avait une bite géante pis ça me faisait mal. Pascal s'est enlevé pis on s'est abrillés avec ma douillette. Il m'a dit que c'était à cause du stress que ça marchait pas. Je devais pas être prête. J'étais pas mal plus jeune que lui. C'était normal. Il comprenait ces affaires-là. Fallait pas que je m'inquiète pis que je sois gênée. Il pouvait me faire d'autres choses si je voulais.

Pascal m'a mangée, pis je pense que je suis venue. J'étais jamais venue avant. Même pas quand je me touchais dans ma chambre, le soir, en m'imaginant que je baisais avec un croisement de Pascal, de Keven pis de Detlev. C'était quand même le fun aussi, ce que je me faisais. Surtout depuis que j'avais découvert le vibrateur de ma mère pis que je lui piquais quand elle était chez son chum. Mais c'était pas aussi intense que de se faire manger. Je voulais qu'il me le refasse tout de suite. Mais Pascal aimait pas ben ça. Il me l'a dit après en me demandant de lui faire de quoi en échange.

Je comprenais pas trop ce qu'il voulait dire. Pascal a pris ma main pis il l'a mise sur son pénis. Je l'ai crossé, pis il s'est crêpé sur la bedaine. Je me rappelle que ça avait pris quand même longtemps pis que j'avais mal au poignet en Dieu.

Je pensais à la mess que j'avais dans ma sacoche. Pascal trouvait que j'exagérais. On fait pas de la mess le mercredi soir à six heures. Je m'en foutais pas mal, de ce que Pascal pensait. Je suis allée chercher mon reste pis je me suis fait une grosse track grasse sur son CD de Pennywise. Pascal s'est mis en crisse. Il s'est plaint que le PC grugerait la pochette. Je l'ai traité d'ortho. Qu'est-ce qu'il voulait qu'elle fasse à sa pochette, ma mess ?

J'ai ouvert la TV. C'était *Madame Doubtfire* qui jouait à TVA. J'étais floue comme la fois où on était allés voir *Sep7* au cinéma du centre d'achats. Pascal avait été obligé de m'expliquer le film tout le long à cause que je comprenais rien. Ça avait pas servi à grand-chose parce que j'étais partie avant la fin pour aller faire d'autre mess dans les toilettes avec Marie-Ève. Après le film, Pascal pis Fred nous avaient cherchées partout dans le centre d'achats. Ils étaient même allés proche du Canadian Tire. Mais on avait décidé de descendre à pied au skatepark pour voir Keven pis s'acheter du buvard.

Là, *Madame Doubtfire*, je suivais plus pantoute. J'étais vraiment stone pis je me suis mise à zapper. Pascal commençait à avoir faim. Je regrettais d'avoir jeté le maca-roni. On a regardé dans le frigidaire. Y avait pas grand-chose sauf des saucisses pis des pains à hot-dog. On s'est fait des hot-dogs dans le micro-ondes en les enroulant dans le scott pis on a mangé devant la TV. Pascal m'a demandé s'il pouvait fumer du youne. Oui, à condi-tion qu'il souffle sa boucane dans un bounce. Fallait en fabriquer un, par exemple. J'ai ramassé un rouleau de papier de toilette dans le fond de la poubelle de la salle de bain pis j'ai mis une feuille de bounce au bout. Ça prenait un élastique pour que ça tienne, mais y en avait pas nulle part. On aurait juste à prendre de la ficelle ou une affaire de même. On a fouillé dans les tiroirs de la cuisine pis on a fini par trouver de la corde de boucher. On a attaché la feuille de bounce au bout du rouleau de papier cul, pis Pascal a fumé des plombs. Ça a senti l'assouplisseur dans tout le condo.

J'ai pas mangé mes hot-dogs. Je les ai donnés à Pascal quand il s'est mis à trippe-bouffer. Ça le dérangeait pas, Pascal, que je mange rien. En fait, je sais même pas s'il s'en est rendu compte.

On a réessayé de baiser vers dix heures, mais ça a encore pas marché. Pendant qu'on essayait, le père à Pascal a appelé. Fallait qu'il retourne chez eux. Il avait de l'école le lendemain. Ma mère a appelé pas long-temps après qu'il soit parti pour savoir si tout était correct. Elle trouvait que j'avais une voix bizarre, au télé-phone. Je lui ai dit que c'était parce que j'étais en train de lire. Elle m'a demandé ce que je lisais. *Christiane F.* Ma mère m'a dit de pas me coucher trop tard. J'ai fait la dernière track de mess qui me restait pis j'ai écouté MusiquePlus dans mon lit. C'était une conne blonde qui parlait de No Doubt. Je me rappelle plus de son nom, mais elle portait une salopette en jeans.

Pendant les annonces, j'ai téléphoné à Marie-Ève pour lui raconter mon flop avec Pascal. La première fois, elle avec ça avait été bizarre. Fallait qu'on se pratique, c'est tout. Je réussirais la prochaine fois. En plus, si Pascal était stressé de même, ça arrangeait pas l'affaire.

On a parlé de Mélanie, aussi. Elle avait cassé avec Jean-Simon. Moi je pensais que c'était à cause qu'il s'était pogné Marie-Ève avec Fred, au campe. Fred s'était vanté à un de ses chums pis astheure tout le monde à la poly le savait. Marie-Ève s'en crissait. Mélanie oserait jamais venir la fesser.

Marie-Ève m'a dit qu'elle s'inquiétait pour Fred. Il était parti à Québec chercher du PC avec des trimpes de Jonquière. Les motards, c'était rendu no way, pis Fred voulait se mettre à vendre plus. Ça faisait trois jours qu'il avait pas appelé Marie-Ève. Un des gars de Jonquière connaissait un punk au carré D'Youville. Le monde disait qu'il avait le meilleur PC à Québec. Mais le gars était difficile à trouver parce qu'il avait pas d'appart. Il habitait en dessous d'un viaduc avec son chien. Il changeait tout le temps de place à cause des coches. Fred devait être en train de le chercher. Au pire, il était en train de tripper à Québec avec ses chums de Jonquière. Ça se pouvait. Il l'avait déjà fait.

JE VOULAIS me teindre les cheveux en noir, mais ma mère voulait pas. Je comprenais pas pourquoi. Ma mère se teindait en blonde depuis qu'elle avait genre treize ans. C'est sa mère qui lui achetait pis qui lui faisait sa teinture à cheveux. Elle me l'avait dit assez souvent. Elle utilisait toujours Nice 'n Easy nº 101 : blond bébé naturel. Elle avait lâché la teinture de pharmacie quand elle avait rencontré mon père. C'était juste les BS qui se mettaient de la teinture en boîte dans tête. C'était hors de question que je me mette ça dans les cheveux.

Le premier samedi du mois, ma mère allait chez son coiffeur, Michel. Il avait son salon à Jonquière pis c'était une tapette, comme tous les coiffeurs. J'aimais ça, aller là avec elle. La réceptionniste arrêtait pas de me dire que j'étais belle pis elle me laissait me mettre du cutex. Je m'assoyais en dessous des gros séchoirs avec la pile de revues de mode pis je cherchais les pubs de Calvin Klein avec Kate Moss. J'avais vu à *Flash* qu'elle avait des problèmes d'héroïne pis qu'elle sortait avec Johnny Depp. Sur la couverture de son livre, Christiane lui ressemblait un peu. Elle avait les mêmes yeux pis les mêmes cheveux qu'elle. Mais Kate était plus belle. C'était peut-être à cause de toute la potée qu'ils lui étendaient dans face.

Ma mère m'avait déjà expliqué que les filles dans les magazines de mode se faisaient maquiller avec des produits spéciaux. C'était pas du maquillage qu'on pouvait acheter à la madame qui vend des cosmétiques chez Sears.

Une fois, ma mère avait fait un shooting en bikini à Los Angèle. Me semble que c'était pour l'huile à bronzer Hawaiian Tropic. Rendue sur le set, elle avait remarqué un gros bouton sur le bord de sa fesse. Ma mère essayait de tasser sa bobette de bikini pour le cacher. La maquilleuse a vu le bouton, mais elle a dit à ma mère de pas paniquer. Elle est allée dans la roulotte chercher un petit pot. Ça valait cinq cents piastres, cette affaire-là. C'est la maquilleuse qui l'avait dit à ma mère en l'ouvrant. La fille a mis un peu de potée sur le bouton pis il a disparu. Ils avaient des trucs de même, les maquilleurs à Kate. J'étais certaine. Personne est belle de même naturelle.

Michel arrêtait pas de parler de ses compétitions de coiffure à New York pis à Londres. Chaque fois qu'il y allait, c'est lui qui gagnait. C'est à cause de ça que ma mère pis toutes les autres bonnes femmes snobs d'Arvida pis de Chicoutimi voulaient se faire couper les cheveux par lui. Fallait prendre son rendez-vous trois mois d'avance. Pis il travaillait pas l'été, à cause que c'était la saison des compétitions.

J'ai jamais compris pourquoi Michel avait son salon dans le fin fond de Jonquière s'il était si hot que ça. Ma mère disait que c'est parce qu'il était très attaché à la région. Moi je pense que c'est parce que c'est pas vrai qu'il gagnait des médailles de coiffure. Je pense qu'il fermait l'été pour avoir un break des bonnes femmes pis voyager avec son serin. Il était hôtesse de l'air, le chum à Michel. Je sais pas comment on dit ça au masculin.

Ce samedi-là, je voulais pas y aller avec elle, chez son coiffeur. Je boudais parce qu'elle voulait pas que je me teinde en noir. Pendant qu'elle se préparait dans la salle de bain, j'ai sniffé deux lignes de mess dans ma chambre. Je me disais que, quand elle serait partie, j'appellerais Marie-Ève pis Mélanie pour qu'elles viennent me rejoindre. On irait au centre d'achats pour voler des boucles d'oreilles au Ardène. Après, on irait voir les gars au campe. Y avait toujours des partys le samedi soir pis ça me tentait d'y aller.

Mais ma mère a cogné à la porte de ma chambre pis elle est rentrée avant que je lui dise que c'était correct. J'ai à peine eu le temps de cacher le petit sac, les cartes pis le bill de cinq roulé en dessous de mon oreiller. J'avais le dessous du nez rouge, selon ma mère. Je devais avoir pogné un rhume à la poly. Ces temps-ci, tout le monde était malade. Je lui ai dit que j'étais pas malade pis j'ai toussé une petite toux de consomption. Ma mère est allée me chercher du sirop Buckley. De la salle de bain, elle m'a crié qu'elle me prêterait sa poudre libre à cinquante piastres pour camoufler la rougeur si je voulais. J'ai dit OK. Elle m'en a mis un peu sous les narines. C'était pas la bonne couleur. J'ai la peau hyper blanche comme mon père. Ma mère a sorti son cache-cernes. Avec ça, j'allais être correcte. Faut toujours choisir son cache-cernes un ton plus pâle que la couleur de notre peau. Je savais ça depuis que j'avais quatre ans. Je me suis regardée dans le petit miroir de la patente à poudre libre pis je me suis dit que la potée à cinq cents piastres aurait fait une meilleure job. Le dessous de mon nez était encore rouge, mais ma mère trouvait que le cache-cernes avait fait toute la différence.

Ma mère m'a dit que j'avais pas le choix de venir chez le coiffeur avec elle. J'irais au centre d'achats une autre fois. Elle pouvait même nous reconduire à l'entrée de la trail du campe vers la fin de l'après-midi. On passerait prendre Marie-Ève pis Mélanie sur le chemin. Ma mère devait sentir sa mort. Elle me liftait jamais, sauf si j'allais chez Pascal. Je me demandais c'était quoi, l'affaire.

Dans l'auto, j'ai reniflé tout le long. J'étais gelée comme une balle pis j'avais peur que ma mère me trouve bizarre. Quand on est arrivées chez le coiffeur, je lui ai demandé si je pouvais l'attendre dans le char. C'était hors de question. Elle m'avait pas élevée en colonne, pis c'est pas vrai que je passerais pour une sauvage. De toute façon, ça lui prendrait pas de temps aujourd'hui. Elle avait juste besoin d'une coupe.

Je suis rentrée dans le salon en babounant pis en essayant d'avoir l'air normale. La réceptionniste a lâché un petit cri aigu quand elle m'a vue pis elle est venue me porter une cape. Ma mère pis elle arrêtaient pas de se regarder en riant. Michel a ressous tout de suite après pis il m'a dit en anglais que *today is the day.*

Ma mère m'a dit qu'elle voulait pas que je me teinde en noir avec de la teinture de pharmacie. Y avait plein d'aluminium là-dedans pis ils disaient que ça donnait le cancer. C'est Michel qui s'occuperait de ma couleur. J'avais juste à lui expliquer ce que je voulais pis il allait me le faire. J'en revenais pas. Ma mère, c'était la plus fine du monde. Je lui ai donné plein de becs partout sur les joues pis je suis allée m'asseoir sur la chaise à Michel.

Je voulais avoir les cheveux noirs avec des reflets bleus comme Mia Wallace. J'avais loué *Fiction pulpeuse* la semaine d'avant pis j'avais trippé sur son look. J'ai demandé à ma mère si Michel pouvait me couper les cheveux comme elle, aussi. Il pouvait. Sauf que Michel avait pas vu *Fiction pulpeuse,* ça fait que je suis allée chercher une pile de revues pour trouver la même coupe que dans le film. Je suis tombée dessus dans un magazine qui s'appelait comme la toune à Madonna. Michel a dit que c'était vraiment in, cette coupe-là. Tout le monde avait ça à Londres. Ma mère jubilait, pis moi avec, même si j'avais de la misère à faker d'être normale.

Ça a pris deux heures à Michel pour me transformer en Mia Wallace. Quand il a eu fini de me sécher les cheveux, je me suis regardée dans le grand miroir pis j'ai capoté. J'avais jamais été aussi belle de toute ma vie. J'avais l'air d'avoir dix-huit ans. Marie-Ève allait halluciner, tellement elle allait trouver ça beau. Pis Pascal aussi. Il arrêtait pas de me dire qu'il trouvait ça beau, les filles avec des cheveux noirs. Il les appelait les Pocahontas. Bon, c'est sûr qu'avec ma peau transparente, je ressemblais pas à une Indienne pantoute, mais pareil.

En remontant à Chicoutimi, ma mère m'a dit qu'elle avait une autre surprise pour moi. Elle me la donnerait avant Noël parce que je le passerais chez Pascal. Ma mère réveillonnerait au chalet de son chum, ça fait qu'elle était aussi ben de me donner le cadeau tout de suite. Noël, c'était bientôt, de toute façon.

Le cadeau était caché dans une vieille boîte pas emballée en haut de son garde-robe de chambre. Ma mère m'a donné la boîte pis elle a eu les larmes aux yeux tout le temps que j'essayais de décoller le tape du couvert. Elle était cute, mais je lui ai pas dit.

Dans la boîte, c'était des bottes de cowboy en peau de serpent. Ma mère les avait depuis l'âge de dix-sept ans. C'était les bottes qu'elle portait au show de Supertramp pis à plein d'autres shows après. Fallait que j'en prenne soin pis que je les entretienne avec des boules de coton trempées dans de la vaseline pis que je frotte dans le sens des écailles. Elle avait fait refaire la semelle, mais la peau de serpent, c'était fragile. Je devais pas piler dans l'eau ou dans la slotche avec. Si je voulais les porter au campe, c'était correct, mais j'étais obligée de les traîner dans un sac en plastique pis de les mettre juste là-bas. De toute façon, c'était l'hiver. Ça devait pas être ben chaud, ces bottes-là. Pis ma mère m'achetait toujours des bottes d'hiver vraiment chaudes pis vraiment laides. J'y croyais pas encore, qu'elle m'avait donné cette paire de bottes là.

Vers six heures, ma mère nous a laissées Marie-Ève pis moi à l'entrée de la trail du campe. On savait pas était où, Mélanie. Elle nous appelait pas ben ben ni l'une ni l'autre ces temps-ci.

J'avais décidé de mettre des jeans serrés noirs, une grande chemise blanche à ma mère pis un bandana rouge autour du cou pour ressembler à Mia Wallace encore plus. Marie-Ève portait sa chemise léopard pis sa jupe fourreau malade. J'ai marché la trail avec mes bottes dans un sac, mais je les ai mises un peu avant qu'on arrive au campe pour pas avoir l'air de la conne qui se change de bottes devant tout le monde. La trail était pas mal tapée à cause des skidoos, ça fait que c'était safe.

Rendues à la moitié du chemin, on a vu une perdrix. Elle était jouquée dans une épinette pis elle nous regardait. J'ai dit à Marie-Ève qu'une perdrix, c'était tellement stupide que tu pouvais tuer ça juste en lui faisant faire un saut. C'est mon père qui m'avait appris ça à la petite chasse. J'ai crié de toutes mes forces, mais la perdrix s'en est crissée. Marie-Ève riait comme une folle.

Elle a pris une grosse roche sur le bord de la trail de skidoo pis elle l'a lancée direct sur la perdrix. L'oiseau est tombé sur le dos pis il s'est mis à gigoter. À partir de là, Marie-Ève savait plus trop quoi faire avec, ça fait que je lui ai tiré une autre roche. La perdrix a arrêté de bouger tout de suite après. Je me rappelle que du sang lui était sorti du bec pis s'était répandu dans la neige.

On a décidé de ramener la perdrix morte au campe. Les gars sauraient comment l'arranger. En arrivant, je l'ai laissée sur le bord de la porte pour qu'elle gèle, pis on est rentrées en dedans. On la plumerait le lendemain. Y avait déjà pas mal de monde. C'est parce que Fred était là avec sa mess de Québec. Il était en train de la couper en haut sur la mezzanine.

Keven a rien dit quand il m'a vue avec mes cheveux noirs pis ma nouvelle coupe. Il arrêtait pas de me regarder, par exemple. J'ai demandé aux gars il était où, Pascal. Ils m'ont dit qu'il était en haut avec Fred pis Mélanie. Je suis montée dans l'échelle, mais j'ai pas eu le temps de me rendre à la moitié que j'ai vu la face paniquée à Fred apparaître. Il m'a dit de pas monter pis il a commencé à descendre pour être sûr que je me rende pas en haut. Je lui ai répondu de se tasser parce que je le garrocherais en bas du deuxième. Il s'est déviré pis m'a dit que, si je voulais vraiment voir Pascal fourrer Mélanie, c'était moi la pire. J'ai entendu Mélanie chuchoter fort par-dessus la musique, elle avait l'air de capoter. Fred s'est enlevé de l'échelle en sautant en bas par le côté. Je voulais tellement lui voir la face, à cette grosse crisse-là. Quand j'ai mis le pied sur la mezzanine, ils finissaient de se rhabiller. Mélanie regardait à terre, mais j'ai vu qu'elle avait les yeux dans l'eau. Pascal commençait déjà à se justifier. Il était saoul pis gelé, pis c'est elle qui lui avait sauté dessus. C'était pas de sa faute. Avec moi ça marchait pas, pis il était en manque. Pascal continuait de m'expliquer le pourquoi du comment, mais je l'écoutais plus. Je me demandais comment ça mon chum me trompait avec une laitte pis comment ça j'étais pas capable de rentrer un pénis dans moi. Je devais avoir de quoi de pas normal. J'ai traité Mélanie de chienne à bites pis je suis redescendue.

En bas, tout le monde savait ce qui venait de se passer pis me regardait bizarre. Marie-Ève m'a demandé si j'étais correcte. J'étais correcte pis je voulais essayer la nouvelle mess à Fred. Jean-Simon a remis du bois dans la truie, pis Mélanie est descendue elle avec. Personne l'a regardée. Quand elle est passée à côté du poêle, Jean-Simon lui a craché dessus pis il lui a dit de sacrer son camp au plus crisse. Je pense que c'est à ce moment-là que je suis devenue la reine de toute. C'était moi, astheure, la déesse des mouches à feu.

Le monde sur les divans ont fait comme si tout ça venait pas de se passer pis ils ont continué à parler du show de No Use For A Name à La Baie. Fred était à la table pis il préparait des tracks. Il a dit que ce serait moi la première à goûter la mess de Québec. Je savais que Fred essayait de me consoler. C'était de la mess spéciale qu'il avait coupée à .4. C'était juste pour nous autres.

Fallait pas que le monde au termi pis à la Galax puisse en avoir. Si ça se savait qu'il y avait de la bonne mess de même qui se promenait en ville, ça serait pas long que les motards se mettraient sur le cas. Fred les verrait débarquer dans son cadre de porte, pis ses parents l'enverraient à l'Institut Saint-Georges pour le restant de ses jours. Fred m'a demandé si j'avais un bill pour sniffer. J'ai sorti un dix de ma bourse. J'avais pas le droit de faire plus que deux tracks, pis c'était interdit d'en refaire avant minimum trois heures si je voulais pas être trop ouessée. J'ai promis à Fred pis je suis allée m'asseoir à côté de Keven sur un des divans. Keven était inquiet, ça devait me faire de la peine, Pascal. On pourrait aller prendre une marche dehors comme l'autre fois pour en parler. Le ruisseau était sûrement gelé pour de vrai. On pourrait marcher dessus ou faire semblant de patiner. J'aimais mieux rester en dedans pis attendre que Pascal redescende de la mezzanine pour voir. J'avais pas vraiment de peine. J'avais juste le goût d'être avec Keven pis de plus penser à Pascal jamais. Fred nous a laissé sa place à la table. J'ai sniffé deux tracks comme Fred me l'avait dit pis j'en ai donné rien qu'une à Keven, vu qu'il était petite nature.

J'avais le goût de danser. Je suis allée lever Marie-Ève du divan, pis on s'est mises à faire les moves qu'on savait que les gars aimaient. Keven a mis «Girl, You'll Be a Woman Soon», pis j'ai dansé exactement comme Mia Wallace. Je suis sûre qu'il l'avait mise exprès. Marie-Ève, elle, imitait John Travolta pis elle riait. Je savais que tous les gars dans la place me regardaient pis que les filles se mettraient à me parler dans le dos. Je m'en crissais. J'étais la déesse des mouches à feu. Je faisais ce que je voulais.

Je me rappelle plus si Keven avait mis la toune sur repeat, mais je me dis que c'est sûr que non. Ça l'énervait, le monde qui refaisait jouer la même affaire dix fois, ça fait que c'est impossible. En tout cas, je devais être trop gelée parce que la toune a duré une heure. À un moment donné, Keven est venu danser avec moi. Il a mis ses mains sur mes hanches. Il dansait vraiment bien. Il aurait pu remplacer Patrick Swayze dans *Dirty Dancing* n'importe quand. J'avais tellement chaud que j'ai déboutonné ma chemise au complet. Jean-Simon bourrait toujours trop la truie. Ça faisait mille fois qu'on lui disait de mettre rien qu'une bûche à la fois. Il comprenait pas, ça a l'air.

Je dansais en brassière avec la chemise ouverte pis je m'en foutais que tout le monde me voie les boules. C'était rendu «Rock'n'Roll Suicide». Keven m'a embrassée dans le cou. Tout de suite après, j'ai entendu une fille crier dans un coin pis j'ai vu Pascal donner un coup de poing dans le mur pis décrisser en t-shirt pis en espades. Le gars de Valin est parti après lui avec sa froque dans les mains pis une tuque qu'on savait même pas si c'était à lui. Il a jamais réussi à le rattraper pis il est revenu au campe parce qu'il faisait trop frette. Je me rappelle que, pendant qu'on dansait, Keven me tenait par le cou pis que j'avais l'impression que de la lumière jaune sortait de mon corps. Il m'a embrassée pis j'entendais plus rien sauf David Bowie. On était au Sound. Je portais une minijupe en cuir noir. J'inventais toutes les danses. Ma mère mariait le King. Mon père me montrait comment vider un orignal. Je dessinais la carte du monde. Marie-Ève avait des cheveux infinis. J'encannais de la truite arc-en-ciel. Keven se mélangeait avec la lumière. Dehors la perdrix était gelée ben dur. Y avait plus grand-chose à faire avec.

MA MÈRE avait changé d'idée pour Noël. Elle a su que j'avais cassé avec Pascal pis elle voulait pas que je reste toute seule en ville, même si je lui avais dit que j'irais faire un tour chez mon père le soir du réveillon. Ça me tentait pas de monter au chalet avec ma mère pis son chum. Il me tapait sur les nerfs, Paul. Je le trouvais gigon avec ses gilets Polaris pis ses culottes en coton ouaté. En plus, il arrêtait pas de me dire de finir mon assiette chaque fois que je soupais avec eux autres. Je me rappelle que ça m'énervait parce que j'avais jamais faim pis que le manger me roulait dans la bouche.

Ma mère m'a dit que je pouvais monter une amie dans le bois avec moi. Ça allait être moins platte. Mais j'avais pas le choix de venir. Point final.

La seule que j'avais envie d'inviter, c'était Marie-Ève. Ma mère aurait jamais voulu que j'emmène Keven de toute façon. Pis je savais même pas si on sortait ensemble ou pas. Je l'avais juste revu une fois au campe, pis y avait plein de monde. J'avais fait comme si rien s'était passé, pis lui avec, je pense. Peut-être qu'il voulait juste rien savoir de moi, au fond. Ou qu'il avait peur de Pascal. Mais je pensais pas, parce que Keven se foutait pas mal de tout le monde, pis Pascal avait l'air d'avoir repogné avec Mélanie. Ils étaient toujours ensemble à la poly pis ils nous évitaient. Ils étaient ben mieux. Tout le monde les envoyait chier, astheure.

Ma mère a appelé celle à Marie-Ève pour lui demander si ça lui dérangeait qu'on invite sa fille au chalet pour Noël. J'ai pas trop compris ce qu'elles se sont dit parce que ma mère s'est enfermée dans sa chambre avec le téléphone. Elle parlait tout bas, pis je l'ai entendue dire qu'elle allait nous surveiller comme du monde.

Après, elle m'a passé Marie-Ève. Ça lui tentait de venir avec nous autres au chalet. C'était rendu déprimant Noël chez eux depuis l'accident. Dans le bois, on ferait du skidoo pis de la raquette. Marie-Ève serait pas obligée d'endurer son père pis l'album photo de son frère mort. En plus, le canal météo annonçait du soleil.

On est partis dans le bois le 24 au matin. Le chum à ma mère était de bonne humeur parce qu'il avait neigé toute la nuit. Ça l'a pas empêché de dire à ma mère qu'on avait trop de bagages. J'étais certaine que j'aurais du fun avec Marie-Ève même s'il faudrait que j'endure ma mère pis Paul. On avait apporté quatre grammes de la mess à Fred. Ma mère s'en rendrait pas compte si on en faisait. Elle savait même pas c'était quoi, anyway.

Pour se rendre au chalet, fallait rouler en pick-up dans un chemin de bois pendant une heure. J'avais tout le temps la chienne parce que la route était pas large pis qu'on rencontrait des vannes de bois qui s'en venaient en descendant. Fallait faire attention dans les courbes parce que les trailers de vannes dérapaient souvent. Un couple du lac Long s'était tué au kilomètre 33, l'hiver d'avant. Ils avaient reçu le trailer en pleine face dans un tournant. Dans le journal, ça disait qu'ils étaient morts sur le coup. Chaque fois que je voyais une vanne au loin, j'avais peur de mourir.

Après le chemin de bois, on arrêtait pour s'enregistrer à la barrière. On appelait ça de même, mais c'était plus un genre de chalet. C'est un couple qui s'occupait de la barrière. Ils habitaient là à l'année, comme des ermites. Le monsieur, Gaétan qu'il s'appelait, entretenait les trails de skidoo de la zec tout l'hiver, pis sa femme enregistrait le monde pis vendait du gaz aux gars de skidoo. Elle, elle s'appelait Diane. L'été, elle pesait les truites que le monde ramenait d'en haut pis elle s'arrangeait pour que le présentoir de Yum Yum au vinaigre soit toujours full. Gaétan, lui, faisait le guide de pêche pour les Français qui louaient des chalets sur la zec.

On était obligés de s'enregistrer à la barrière chaque fois qu'on allait sur la zec. C'était pour contrôler les pratiques de chasse et pêche, mais surtout pour savoir combien de monde y avait en haut pis noter la date à laquelle ils étaient supposés revenir du bois. Si quelqu'un revenait pas quand il était supposé, Gaétan montait voir ce qui se passait, au cas.

Ça faisait chier tout le monde, cette histoire d'enregistrement là. C'est parce que dans le bois les gens veulent la paix. C'est la seule place où les lois de la ville se rendent pas. La preuve : tout le monde se débouche une bière pis conduit avec la bouteille entre les deux jambes dès que le chemin pour se rendre en haut vire en garnotte, passé Falardeau.

Le chum à ma mère haïssait ça lui avec, s'enregistrer. Il traitait les administrateurs de la zec pis le gouvernement de Big Brother à toutes les fois que la femme de Gaétan lui demandait de remplir le formulaire. Il les traitait de noms même si ça avait sauvé la vie de monsieur Bourassa. Je pense que ça s'était passé à l'automne. Monsieur Bourassa était pas redescendu de son chalet le dimanche comme d'habitude. À la fin de l'après-midi, Gaétan avait décidé d'aller voir avant la noirceur si tout était correct. Il avait trouvé monsieur Bourassa dans son lit. Il s'était pas levé le matin parce qu'il était en train de s'intoxiquer au monoxyde de carbone. Gaétan avait appelé Airmedic sur son VE2, pis ils étaient venus le chercher dans leur hélicoptère. À l'hôpital, le docteur avait dit que, si Gaétan était arrivé quinze minutes plus tard, monsieur Bourassa serait mort au lieu d'être resté légume. J'ai jamais compris ce qu'il y avait de mieux à être légume qu'à être mort. Je veux dire, monsieur Bourassa se chie dans les culottes pis il peut même plus monter dans le bois depuis ce temps-là, ça a l'air. En tout cas.

Le chum à ma mère entreposait ses skidoos dans le parc à remises derrière le chalet de la barrière. Tout le monde faisait ça pis tout le monde avait des skidoos. C'était moins compliqué que de partir d'en bas avec les machines pis le bagage des bonnes femmes dans la boîte du pick-up.

Pendant que son chum préparait les skidoos pis mettait du gaz dedans, ma mère parlait avec Diane. Elle lui avait demandé sa recette de cretons. Mais Diane la donnait pas à grand monde. Ma mère était pas rendue là. Il allait falloir qu'elle monte encore dans le bois une couple d'années pour avoir la recette.

On était rentrées dans le chalet pour que ma mère nous enregistre pis que moi pis Marie-Ève on mette nos suits de skidoo pis nos bottes de poil. C'était la seule affaire qui gardait les pieds au chaud dans le bois, ma mère disait. Elle en avait prêté une paire à Marie-Ève. Mais moi, elle m'en avait acheté des neuves. Je les trouvais belles, mes bottes en poil de vache deux couleurs. Mais je l'ai pas dit à ma mère. Elle aurait été ben trop contente pis elle s'en serait resservie contre moi plus tard.

Quand il a eu fini de charger la sleigh avec tous les bagages, Paul est rentré dans le chalet pour dire à ma mère qu'il faudrait que je tienne un bac en plastique sur moi tout le long en montant. On mettait nos affaires dans des bacs pour pas qu'elles se brisent ou qu'elles se ramassent pleines de neige. C'était parce qu'on avait quarante-cinq minutes de skidoo à faire sur une trail large comme le boulevard Sainte-Geneviève avant d'arriver au chalet. Ma mère avait emporté trop de stock pis la sleigh était pleine. Marie-Ève embarquerait en arrière de mon beau-père. Moi pis le bac en surplus on serait en arrière de ma mère.

Dans la trail en montant, Paul allait vite pis on avait de la misère à le suivre dans les curves. J'avais peur de tomber en bas du skidoo tout le long de la ronne parce que j'étais obligée de tenir l'ostie de bac au lieu de me tenir moi.

En arrivant en haut, ma mère nous a demandé à Marie-Ève pis à moi d'aller chercher du bois dans la shed pour chauffer le chalet. Il faisait environ moins quinze, ça fait qu'il fallait qu'on se dépêche si on voulait que le campe soit chaud à temps pour dîner. Le chum à ma mère est allé chercher de l'eau au lac. Le trou avait gelé durant la semaine. Ça avait dû descendre en bas de moins vingt-cinq certain. Faudrait briser la glace à la hache. Le trou gelait jamais à moins qu'il fasse câlissement frette.

Le chum à ma mère a pris sa hache pis les chaudières dans la shed pis il les a garrochées dans la sleigh. Le lac était à deux cents pieds du chalet, en bas d'une petite pente, mais c'était mieux d'aller chercher de l'eau au trou en skidoo. Après, on pouvait remonter les six chaudières pleines en même temps au chalet.

Six grosses chaudières, c'est de ça qu'on avait besoin pour passer une semaine dans le bois si on était du monde normal. Vu qu'on était là avec ma mère, Paul serait obligé de retourner au lac dix douze fois pendant les vacances pour remplir les seaux. C'est parce qu'au début de l'hiver, elle avait lancé un ultimatum à son nouveau chum : soit elle pouvait se laver, soit elle montait plus dans le bois. C'était maximum deux jours à se laver à la tapette. Ça lui prenait un bain ou une douche, passé ça.

Son chum avait installé le bain-douche dans la rallonge du chalet. Il avait descendu un tuyau jusqu'au lac pour pomper l'eau avec une pompe à bateau. Pour que ma mère se lave à l'eau chaude, il avait installé un chauffe-eau au propane juste en haut de la douche. Quand le lac avait gelé, fin novembre, pis qu'on pouvait plus se servir de la pompe à bateau, Paul avait relié le chauffe-eau à une grosse poubelle verte. Il vidait quatre seaux d'eau dedans, pis ma mère avait de l'eau chaude durant un gros cinq minutes.

Au début, le monde autour avait ri de ma mère, avec son bain-douche. Ils l'appelaient la fille de la ville. Mais les voisines de chalet s'étaient mises à chialer qu'elles aimeraient ça elles avec. Tous les bonhommes avaient été obligés de faire la même chose s'ils voulaient que leurs femmes continuent à monter dans le bois. Ma mère avait même invité celles dont les maris étaient trop manchons pour leur installer un bain-douche à venir se laver chez elle. Plus personne avait osé rire d'elle, après.

Paul avait l'air d'être en amour avec ma mère pas mal. Surtout que ça faisait pas longtemps qu'il sortait avec. Il était habile de ses mains, en plus. Mon père aussi était bon dans la construction. Il pouvait démolir pis reconstruire une salle de bain en une fin de semaine. Je sais pas ce qu'il aurait pensé du bain-douche à ma mère, par exemple. Il aurait sûrement regardé la bébelle une couple de minutes pour trouver une façon de traiter son chum d'incompétent. Pis il lui aurait expliqué comment il aurait patenté ça mieux que lui. Mon père était du genre à se penser meilleur que tous les autres gars de la terre. Anyway, je sais même pas s'il savait que ma mère avait un nouveau chum. Je lui avais pas reparlé ben ben depuis l'histoire de la pilule. Il était trop occupé avec sa nouvelle blonde.

Mon père avait rencontré une femme un peu après le divorce. Ma mère pense même qu'il sortait avec avant. Mon père m'a dit qu'il l'avait rencontrée dans un groupe d'entraide pour les divorcés. Je croyais pas pantoute à son affaire. Voire si mon père se serait inscrit à un groupe d'entraide. La seule fois qu'il avait mis le pied dans une réunion des AA, c'était pour savoir c'était qui les alcooliques en ville pis leur faire du chantage si jamais ils se retrouvaient contre lui au tribunal.

J'avais rencontré la nouvelle blonde à mon père sur le terrain en face de mon ancienne maison. Elle l'aidait à ramasser les feuilles mortes. Elle était pas mal moins belle que ma mère. Mais elle avait l'air plus smatte, j'avoue. Ma mère avait jamais aidé mon père à entretenir le terrain. Pis, quand moi je l'aidais, elle aimait pas ça. Elle disait que c'était pas à nous autres de torcher le terrain pis qu'il y avait du monde qui se fendait le cul pour essayer de travailler chez nous. Ma mère avait toujours voulu que mon père engage une compagnie de terrassement pour prendre soin du tour de la maison. Mon père a jamais voulu. Il disait que c'était de l'argent jeté par les fenêtres.

La blonde à mon père avait essayé d'être gentille avec moi, la fois des feuilles mortes. J'étais venue scèner vingt piastres à mon père en bus de ville pour pouvoir m'acheter de la mess. Mon père avait pas d'argent sur lui, pis sa blonde m'avait donné un vingt à sa place. Je me rappelle que j'avais voulu lui faire un compliment pour la remercier mais que j'avais comme choké au milieu de ma phrase. J'avais dit que c'était super beau, ses mèches, mais qu'elle devrait teindre sa repousse parce qu'elle faisait son âge. Mon père m'avait traitée de polissonne, pis sa blonde lui avait dit que c'était pas grave. Je l'avais trouvée fine.

Marie-Ève pis moi on est rentrées dans le chalet en premier avec des bûches pis du bois d'allumage. Ça sentait bizarre en dedans. Je l'ai crié à ma mère dehors. Elle était en arrière du chalet en train de connecter le propane. Marie-Ève m'a dit qu'il y avait de la marde dans le fond du bain. Ma mère est rentrée pour voir en même temps que son chum revenait avec l'eau. Il a dit que ça devait être une martre qui s'était faufilée dans le chalet pis qui avait chié dans le bain à ma mère. Les animaux font ça quand ils ont peur. Chier, je parle. On a jamais trouvé par où la martre était passée.

Ma mère a lavé le bain à l'eau de Javel, pis on a allumé le poêle à combustion lente. Ça prenait deux ou trois heures pour chauffer le chalet pis, à cause de l'histoire de la martre, on a dîné plus tard que d'habitude. Ma mère avait préparé de la soupe aux légumes pis des crudités. J'haïssais ça, les crudités, Marie-Ève aussi, mais on a mangé pareil.

Après le dîner, ma mère a mis la tourtière pis les pâtés à viande à dégeler proche du poêle à bois. Elle avait tout préparé la bouffe du réveillon en ville durant la semaine. C'est pour ça qu'il y avait plus de bacs. Elle avait cuisiné un pain sandwich. Il était plus deluxe que d'habitude, elle avait remplacé le Cheez Whiz par du fromage Philadelphia. Ma mère avait tout fait d'avance pour pouvoir aller se promener en skidoo avec son chum durant l'après-midi. Mais avant, fallait aller se couper un sapin dans le bois autour. Y avait pas grand sapin à cette hauteur-là. C'était pas mal juste des épinettes noires. Ça fait qu'on s'est monté une épinette de Noël avec des glaçons argent pis des boules rouges. On avait pas de crèche pis pas d'étoile pour mettre sur le top. Dans le bois, faut se passer de ben des affaires, Paul a dit. Ma mère a mis des cadeaux en bas de l'arbre pis elle nous a demandé si on venait avec eux autres en skidoo. On aimait mieux rester dans le chalet pis écouter notre musique. Ça dérangeait pas ma mère.

Elle pis son chum s'en reviendraient avant la noirceur. Ils iraient virer jusqu'à la pourvoirie du lac Poivre. Ça nous laissait deux bonnes heures, à Marie-Ève pis moi. On a starté la génératrice pis on a allumé le système de son. On a mis un disque de marde de Guns N' Roses. On aimait ça, écouter *Use Your Illusion I* en cachette. On écoutait les tounes quétaines comme « November Rain » ou « Don't Cry ». On les mettait sur repeat pis on imitait le vidéo avec Stephanie Seymour qui se marie avec Axl Rose. On a su plus tard qu'il la battait sans discontinuer. Me semble que c'était pas son genre, d'être une femme battue.

Marie-Ève m'a demandé si j'avais déjà fait du gaz. Jamais. C'était juste les Kawish pis les BS qui sniffaient du gaz. Elle m'a dit que ben non, ça serait drôle, pis en plus ça durait pas longtemps. J'ai dit OK, d'abord. On s'est habillées pis je suis allée voir dans la remise si y avait une canisse. J'ai trouvé un vieux cinq gallons avec du gaz au fond. Marie-Ève a essayé en premier. Elle a ouvert le bouchon pis elle a respiré trois ou quatre fois. Après, elle est sortie de la remise. Elle marchait tout croche pis elle s'est ramassée assise dans la neige. J'ai respiré dans la canisse moi avec pis je suis allée la rejoindre. J'ai eu de la misère à sortir par la porte de la remise parce qu'elle swignait de tous bords tous côtés. Dehors, les arbres tourbillonnaient, pis les oreilles me silaient. Je me suis assise à côté de Marie-Ève, mais je l'ai accrochée en passant pis sa tuque est tombée à terre. On a ri pis on a regardé le soleil comme si on était des débiles légères. C'était ben trop fort, cette affaire-là, j'avais hâte que ça arrête. Ça a pris cinq minutes max pour que les arbres reviennent à la bonne place. Après, on a décidé de retourner dans le chalet pis de faire de la mess, au lieu. On s'est dit que le gaz, c'était une affaire de BS pis de Kawish pour de vrai.

On a pas mis de musique parce que j'avais pas le droit de laisser marcher le Delco trop longtemps. Ça dépensait du gaz pour rien pis le chum à ma mère nous avait averties. On a sniffé nos tracks sur la petite table de salon avec le dessus en Mod Podge. On se disait que, si on faisait juste une track chacune de la mess à Fred, on serait ben correctes quand ma mère reviendrait.

Sauf qu'on était encore stones quand on a vu les lumières des skidoos s'en venir par le lac. La noirceur commençait à tomber. Il devait être quatre heures et demie. Quand ma mère est rentrée dans le chalet, on a fait semblant de jouer au trou de cul. Mais j'étais pas capable de tenir les cartes comme du monde. Elles arrêtaient pas de tomber pis Marie-Ève riait. Ma mère est allée inspecter le bar pour voir si on avait bu du fort en cachette. Mais on avait rien bu. Marie-Ève a demandé à ma mère si elle voulait qu'elle l'aide avec le souper. Moi je demandais ce qu'on allait manger sans arrêt. De la tourtière pis des pâtés à la viande. Ma mère me l'avait déjà dit sur l'heure du dîner.

Ma mère a mis le souper à réchauffer dans le four au propane pis elle a demandé à Marie-Ève de faire la salade à la crème. Marie-Ève a sorti la laitue iceberg du frigidaire, mais elle l'a échappée, pis la laitue a roulé en dessous du comptoir. Ma mère lui a dit qu'elle avait juste à la rincer avec de l'eau du bidon d'eau de source.

Pendant ce temps-là, je lisais *Lestat le vampire*. Ça faisait genre vingt fois que je recommençais la même page, tellement j'étais floue. Marie-Ève, elle, s'est coupée avec le rapala en préparant la salade. Ça saignait pas mal, pis j'arrêtais pas de demander à ma mère s'il fallait qu'on aille à l'hôpital pis si on souperait pareil. Ma mère nous a demandé si on avait pris de quoi. Non. Pas pantoute. Elle nous a dit d'ouvrir nos snatchels pis de vider nos poches.

Quand elle a trouvé la mess dans ma trousse à maquillage, ma mère est devenue blanche comme un drap. Son chum, lui, était en tabarnac pis il nous a traitées de petites câlisses. Ma mère a voulu savoir c'était quoi, cette marde-là, pis c'est qui qui nous l'avait vendue. Marie-Ève a dit que c'était une fille plus vieille qu'elle qui lui avait donnée. Elle a dit qu'elle en avait jamais pris avant pis qu'on voulait juste essayer. J'ai dit à ma mère qu'on le regrettait. On savait pas que c'était fort à ce point-là. On avait fumé du pot, une fois, pis on avait même pas aimé ça. Elle pouvait la jeter dans la toilette, la mescaline. Nous autres, on voulait plus jamais toucher à cette affaire-là. On avait ben peur pis on était certaines que c'était dangereux pour les overdoses. Ma mère nous a dit qu'elle le dirait pas à la mère à Marie-Ève ni à mon père si on jurait de plus toucher à cette cochonnerie-là. On a promis, pis elle a jeté le reste de la mess dans le poêle à bois. J'ai manqué pleurer.

Le chum à ma mère lui a dit qu'elle était trop molle. Si c'était rien que de lui, ce serait l'Institut direct. En plus, c'était même pas de la mescaline, cette ostie de poudre-là, jamais dans cent ans. Son frère en avait vu au Mexique, de la vraie mescaline. Ils faisaient ça avec des cactus pis les hippies en prenaient pour voir leur animal totem. Nous autres, notre affaire, c'était du chimique. Ma mère l'a pas laissé continuer. Elle lui a répondu que l'Institut Saint-Georges, c'était une place pour les délinquants pis que, de toute façon, ça le regardait pas.

C'était l'heure de souper pis elle voulait plus entendre parler de ça. Elle voulait pas gâcher le réveillon avec mon niaisage.

Moi pis Marie-Ève on a mis la nappe en plastique avec des motifs de Noël que ma mère avait pognée au Dollarama sur la table. Après, on a placé les couteaux pis les fourchettes du bon bord pour lui faire plaisir. On a mangé les tourtières pis des morceaux de pâté pleins de ketchup même si on avait envie de dégueuler. J'ai même pris de la salade à la crème pis du pain sandwich pour que ma mère soit contente. J'avais peur qu'elle change d'idée pis qu'elle le dise à mon père, qu'elle m'avait pognée avec de la drogue. Il m'aurait arraché la tête, c'est sûr.

Vers minuit, on a déballé les cadeaux. Paul avait acheté à ma mère un espèce de manteau chic de skidoo Polaris. Moi, j'ai reçu un discman en remplacement de celui que Mélanie Belley avait flushé, un bon d'achat de cent piastres au Jacob pis *La reine des damnés*. J'aimais ça, les histoires de vampires. Marie-Ève aussi. Elle m'a demandé si je lui prêterais le livre quand j'aurais fini de le lire. Je lui ai dit que ça prendrait pas long. Je lisais super vite, que la bibliothécaire de la poly disait.

On s'est couchés après les cadeaux. Ma mère m'a pas dit bonne nuit comme d'habitude avant d'aller se coucher dans sa chambre. Elle m'avait presque pas regardée. Marie-Ève pis moi on est allées se brosser les dents. Elle s'était rempli un verre de styromousse avec de l'eau du lac. Je lui ai dit de le vider dans l'évier pis de prendre l'eau du bidon pour pas pogner la gastro.

On dormait dans la chambre avec le lit à deux étages à côté du salon, mais Marie-Ève voulait pas dormir toute seule dans le lit du haut. Elle avait peur du noir pis des loups dans le bois même si mon beau-père lui avait expliqué qu'il y avait plus de loups sur les Monts depuis vingt ans.

Je suis montée la rejoindre. Elle fouillait dans son snatchel pis elle a sorti son pydje. Elle a continué à fouiller en me faisant une face de conspiratrice. Elle m'a flashé trois sacs de mess à deux pouces du nez. Elle était trop quotiente. La mess était dans une poche secrète du snatchel. Ma mère avait pas pensé à regarder là. On a allumé la lampe de poche, pis Marie-Ève m'a chuchoté que ça serait cool d'en faire avant de s'endormir.

On en a sniffé pas loin d'un gramme chacune. J'ai pas été si stone que ça. Marie-Ève a commencé à parler dans le dos à Mélanie pis elle m'a dit qu'elle comprenait pas pourquoi Pascal était retourné avec elle. Je m'en crissais. Je me demandais juste si je sortais avec Keven ou pas. Marie-Ève pensait que oui. Keven était full en amour avec moi. Ça paraissait. Tout le monde le savait. Pis toutes les filles du campe étaient jalouses. Toutes les filles voulaient se pogner Pascal pis Keven. Moi, j'avais réussi à sortir avec les deux. C'est parce que j'étais vraiment belle. Surtout avec les cheveux coupés de même, Marie-Ève pensait.

Pendant qu'elle me parlait, elle avait commencé à me flatter le dos. Je trouvais ça le fun. J'ai toujours aimé ça, me faire flatter. Quand j'étais petite, mon père me flattait tout le temps, pis ma mère était jalouse parce qu'elle disait qu'elle, il la flattait jamais. Dans ce temps-là, mon père lui disait qu'elle avait pas cinq ans pis d'en revenir. D'habitude, quand mon père lui parlait de même, ma mère partait magasiner longtemps. Je restais toute seule avec lui. On se mettait un film, pis il me flattait tout le long. Pis ma mère me ramenait toujours une surprise du centre d'achats, une pouliche, une barbie, un journal intime.

Marie-Ève me flattait depuis une bonne heure. Elle a commencé à me donner des petits becs dans le cou pis elle a glissé sa main dans mon chandail. Je savais plus comment agir. J'ai jamais été gênée de même de toute ma vie. Je me suis dit que, si je me tassais, elle arrêterait. En même temps, je voulais pas lui faire de peine. Je pensais pas que Marie-Ève était lesbienne. Je veux dire, elle sortait avec Fred pis elle pognait full avec les gars. Marie-Ève a dû sentir que je badtrippais parce qu'elle m'a dit tout bas de pas capoter, que c'était juste pour se faire du fun. Je lui ai répondu que j'avais jamais rien essayé avec une fille. J'étais pas certaine que j'aimerais ça. Elle m'a embrassée sur la bouche un peu. C'était pas dégueulasse. Ça fait qu'on s'est mises à frencher. J'ai senti que je mouillais. Dans ma tête, j'arrêtais pas de me dire que j'étais pas lesbienne, que c'était juste pour le sexe.

J'ai commencé à toucher les seins à Marie-Ève. Je me rappelle qu'ils étaient lourds pis plus gros que les miens, pis que j'arrêtais pas de les pogner. Marie-Ève a ôté mes mains pis elle est descendue en dessous des couvertes. Elle m'a enlevé mes bobettes pis elle les a mises en tapon quelque part au bout du lit. Elle m'a mangée super longtemps. C'était encore mieux qu'avec Pascal parce qu'elle rentrait ses doigts en plus. Je savais pas où elle avait pris sa technique, mais mes jambes tremblaient pis j'ai eu envie de crier. Je me suis retenue, sinon ma mère pis son chum se seraient réveillés pis ça aurait été encore plus le drame.

Le lendemain au déjeuner, j'étais full mal. J'ai pas regardé Marie-Ève du repas, même quand elle me parlait. Elle, elle agissait comme s'il s'était rien passé. Je trouvais que mes mains sentaient encore le sexe pis je capotais. Je voulais retourner en ville pis me cacher dans ma chambre pour toujours. J'étais certaine que toute l'école le saurait pis que je serais rejet jusqu'à la fin des temps. J'étais sûre que Keven voudrait plus que je sois sa blonde.

Durant l'après-midi, Marie-Ève m'a dit que ce serait le fun de faire un bonhomme de neige. Le temps était assez doux pour que la neige colle. Ma mère nous a donné un vieux foulard pis une carotte pour le nez. On est sorties pis on a commencé à rouler la neige, juste devant le chalet. Le chum à ma mère fendait du bois à côté de la remise pis on riait de lui parce qu'il faisait une face d'envie de chier chaque fois qu'il fendait une bûche.

Après le bonhomme de neige, on s'est dit que ce serait cool de construire un fort comme quand on était petites. On s'est mises à creuser un tunnel dans la neige pis, au bout d'une heure, il était plus long que la galerie d'en avant. Ma mère nous a dit de faire attention. Ça pouvait s'effondrer sur nous autres, notre affaire. On s'asphyxierait comme le saint-bernard dans *La guerre des tuques.*

On a passé le reste de l'après-midi dans notre fort à parler pis à regarder par le trou du tunnel les pies qui venaient picosser les restes du réveillon dans la neige à côté de la porte du chalet. Ma mère donnait toujours les restants de table aux pies parce qu'elle pensait qu'elles avaient rien à manger durant l'hiver. En haut, tout le monde nourrissait les pies, elles se promenaient de chalet en chalet toute la journée. Ce qu'elles aimaient le plus, c'était la graisse de bacon. Paul la vidait dans une assiette d'aluminium qu'on laissait sur la galerie. La graisse avait pas le temps de pogner que les pies arrivaient. On remplissait aussi un pot Mason de gras de n'importe quoi. Quand il était plein, on mettait une corde dedans pour qu'il y ait un bout qui dépasse. On plantait le pot dans le banc de neige. La graisse gelait vite. Après, on cassait le pot pis on suspendait le bloc de gras en haut des grandes portes de la remise. Paul aimait ça, regarder les pies se battre autour, quand il bizounait dans la remise l'après-midi. Elles étaient grasses comme des voleurs pis elles étaient acclimatées aux humains. Je comprenais pas pourquoi ma mère cautionnait ça, nourrir les pies. Mon père avait tout le temps dit que c'était pas correct de nourrir les animaux sauvages. Ça les rendait dépendants de nous autres pis ils étaient plus capables de se nourrir tout seuls, après.

Dans le fort, j'avais presque oublié la nuit d'avant. Marie-Ève pis moi on était couchées sur le dos pis on grattait le plafond pour faire tomber de la petite neige sur nous autres. Marie-Ève me parlait de son frère. Trois mois avant de mourir, il avait commencé à ramasser de l'argent pour s'acheter son skidoo. Il avait spotté le MXZ de l'année chez Équipements Villeneuve. Tous les gars magasinaient leur skidoo dans les petites annonces. Ça aurait été le premier de sa gang à avoir une machine neuve. C'est platte qu'il ait pas pu se l'acheter. Marie-Ève a rien dit pendant un bout pis elle a continué à gosser avec la neige. Le soleil se couchait pis on voyait de moins en moins dans notre trou. J'ai dit qu'on devrait rentrer. Marie-Ève a répondu qu'elle espérait que je paniquais pas pour la nuit passée. Je lui ai demandé si elle était amoureuse de moi, parce que moi j'étais en amour avec Keven. Elle a ri genre dix minutes de temps pis elle a dit que j'étais cute. Était pas lesbienne pantoute. C'était juste de quoi qu'elle faisait des fois avec ses meilleures amies, pour le trip. Si j'étais stuck-up avec ces affaires-là, on avait juste à plus jamais le refaire. Ça finissait là. Je lui ai dit que j'étais super open, pis elle a dit tant mieux. J'ai pensé qu'elle devait avoir couché avec la conne à Mélanie pis son mou de ventre. Je me suis retournée vers Marie-Ève pis je lui ai dit que ce serait fou de faire de la mess drette là dans notre fort. Marie-Ève a sorti le petit sac de sa poche de bas de suit. Estie qu'elle l'avait, l'affaire. On a sniffé tout le sac comme si la fin du monde était proche. Elle torchait pareil, pour de la vieille mess éventée. J'avais de la misère à voir la face à Marie-Ève. Je savais plus s'il faisait noir à cause qu'il était passé six heures ou si on faux-buzzait. Je paranoïais qu'on avait tout respiré l'oxygène du fort. Ça devait ben faire deux heures qu'on était là. J'étais certaine qu'on s'empoisonnait avec notre propre monoxyde de carbone, je l'avais appris en sciences physiques. J'ai dit à Marie-Ève qu'il fallait sortir au plus sacrant. Elle m'a traitée de tête de chat pis elle a manqué me donner un coup de botte dans face en s'avançant dans le tunnel. Dehors, c'était moins noir que je pensais, mais on voyait déjà le Chaudron dans le ciel. Je l'ai pointé à Marie-Ève pour qu'elle l'apprenne. C'est important, les constellations, dans le bois, pour te retrouver si tu te perds. Elle avait juste à se rappeler que le chalet à Paul était direct en dessous du Chaudron pis elle se perdrait jamais. Marie-Ève m'a dit que j'étais ben niaiseuse, c'était pas le Chaudron qu'on voyait, c'était la Grande Ourse, tout le monde savait ça. Ma mère est sortie sur la galerie pendant qu'on s'ostinait pis elle nous a demandé ce qu'on avait à crier de même. J'ai dit à ma mère qu'on avait respiré tout l'air du fort pis qu'on avait failli mourir de monoxyde. Ma mère a répondu de pas bouger de là pis qu'elle revenait dans deux minutes. On a pas eu le temps de penser qu'elle ressortait en suit avec trois casques de skidoo dans les mains. Quand elle est arrivée proche de nous, elle avait l'air en furie. Elle nous a mis les casques sur la tête tellement fort que j'ai eu mal au cou le lendemain. Elle savait quoi faire avec des petites crisses comme nous autres. Elle nous ventilerait, on crérait pas à ça. On manquait d'air à cause de la cochonnerie qu'on prenait? Elle nous ferait respirer jusqu'à temps qu'on redescende sur la terre. Marie-Ève m'a regardée, elle comprenait pas ce qui arrivait. Ma mère a starté le White Track à son chum parce que ça embarquait pas à trois sur son skidoo à elle. Elle nous a fait signe de nous asseoir en arrière pis elle nous a crié de garder nos visières ouvertes tout le long de la ronne si on voulait pas qu'elle nous pousse en bas. On ferait du skidoo toute la nuit, au pire, mais on allait respirer pis on allait déstoner en crisse. Parce que, si Paul se rendait compte qu'on était encore gelées sur notre poudre, on serait pas mieux que mortes. Ma mère a mis le gaz au fond pis elle a clenché jusqu'au lac. Quand on est arrivées dessus, ma mère a pris la trail balisée par deux rangées de bébés épinettes qui passait bord en bord du lac. J'étais certaine qu'on ferait le même trajet que d'habitude, qu'on traverserait le lac Long, le lac Rond, le lac Poivre en prenant entre les lacs les trails que le chum à ma mère pis ses amis avaient ouvertes. Pas pantoute. Au lieu de ça, ma mère est sortie des balises à cent milles à l'heure. Je me suis mise à avoir la chienne. Mon père disait qu'il fallait jamais sortir des balises, surtout sur un lac de dix kilomètres de long comme celui-là. C'était une question de vie ou de mort, pis encore plus s'il se mettait à neiger. J'avais peur qu'il nous arrive la même affaire qu'à Ghislain Tanguay pis sa femme. C'est elle qui conduisait ce soir-là, d'ailleurs. Elle devait avoir réussi à convaincre Ghislain qu'il était trop saoul pis que c'était mieux que ce soit elle qui les ramène à leur chalet. Il faisait tempête pis elle était sortie des balises comme une conne. Dans ce temps-là, on voit plus ni le ciel ni la terre, pis encore moins les rives du lac. Paraissait que la femme à Ghislain avait tourné en rond une bonne secousse pour essayer de retrouver son chemin, mais le skidoo avait manqué de gaz au fin fond d'une baie. Les deux étaient morts gelés assis sur leur machine.

On roulait dans deux pieds de poudreuse, pis la neige rentrait partout dans mon casque pis dans mes yeux. Je voyais plus rien pis je pensais que mes joues allaient tomber, tellement je gelais. Ma mère était dans les bleus, pis on était vraiment dans la marde. Marie-Ève s'accrochait après moi comme si sa vie en dépendait. On a continué jusqu'au bout du lac. On devait approcher de la charge. Y avait quasiment pas de glace à cette place-là, à cause du courant de la rivière qui se jette dans le lac. Ma mère a viré à la dernière minute. Je la trouvais folle, j'avais peur qu'on se mette à faire du top pis que Marie-Ève meure écrasée en dessous de la machine. Ma mère a longé une des plus grosses baies pis elle a croisé les balises sans slaquer sur la vitesse. C'était évident qu'on avait déjà des engelures dans face pis que mon nez allait se nécroser dans pas long. Ma mère s'enlignait pour nous trimballer d'un bord pis de l'autre toute la soirée. J'ai baissé ma visière pour pas mourir pis j'ai prié pour que ça finisse. En tout cas, j'étais plus stone pantoute, pis Marie-Ève était en train de me casser en deux, tellement elle me serrait fort.

Quand on est revenues, on était congelées. En débarquant du skidoo, ma mère nous a regardées dans les yeux pis elle nous a dit qu'on ferait accroire à Paul qu'on lui avait demandé pour aller sur le lac en skidoo avant souper. On est rentrées pis on a accroché nos habits de motoneige en arrière du poêle à bois pour qu'ils sèchent. On entendait du monde parler dans le VE2 pis Paul ronflait la bouche ouverte sur le divan. La sauce à spag était encore sur le rond, pis y avait même du pain à l'ail dans le papier d'aluminium sur le comptoir. Marie-Ève a demandé à ma mère si elle voulait qu'elle aille dans la rallonge chercher du Seven Up dans les glacières. La table était mise. Ma mère nous a dit de nous asseoir.

Le lendemain soir, Paul nous a montré son album photo du chalet. Marie-Ève pis moi on trouvait ça crissement platte. Mais on a fait semblant d'être contentes parce qu'on se disait que, si on était assez fines, on avait peut-être une chance que ma mère le dise pas à la mère de Marie-Ève pis à mon père, pour la mess. Au milieu de l'album, y avait des photos de lumières blanches pis jaunes. J'ai demandé à Paul c'était quoi. Il m'a répondu qu'il le savait pas. Il avait pris ça à la fin de l'été, en quatre-roues. Il a raconté qu'il s'en revenait de chez son chum Gilles qui avait son chalet au lac d'en Haut. Il devait être environ une heure du matin. Il avait vu une grosse lumière blanche par-dessus son épaule. Elle était trop basse pour que ce soit la lune, ça fait qu'il avait arrêté son VTT pour voir par où est-ce qu'elle arrivait. C'était le noir total pis la lumière ressemblait à celle d'une grosse lampe de poche géante. Il a dit qu'elle s'était arrêtée en même temps que lui pis qu'elle s'était remise à le suivre à la minute où il était reparti. Ma mère lui a dit de nous lâcher avec ses histoires, que ça se pouvait pas. Paul a juré sur la tête à l'Évangile pis il a dit qu'il était retourné en quatre-roues le lendemain à la même heure pour prendre la lumière en photo. Marie-Ève a dit que c'était des extraterrestres. Je pensais, moi avec. Ma mère, elle, a dit que c'était l'armée qui faisait des essais avec des machines secrètes. La base était pas loin de la zec. Ils devaient faire des tests genre Zone 51. Non. Paul avait vu d'autres lumières sortir du lac en avant du chalet le lendemain des photos. Elles étaient jaunes, celles-là. C'était impossible que ce soit des machines de l'armée qui fassent sortir de la lumière du lac. C'était pas des aurores boréales non plus. Il en avait déjà assez vu en haut pour savoir de quoi ça avait l'air. J'ai demandé si les lumières seraient pas des espèces de mouches à feu géantes. C'était pas le temps des lucioles, Paul a répondu. C'était vraiment des lumières jaunes qui sortaient du fond du lac. Des genres de gros rayons qui passaient bord en bord de l'eau pis qui montaient dans le ciel. Il pouvait pas jurer que c'était des affaires d'extra-terrestres, mais il pouvait pas jurer que c'en était pas non plus.

ON EST REVENUS du chalet le dimanche avant que l'école recommence, vers le sept huit janvier. Sur le répondeur chez ma mère, y avait trois messages de Keven pis un de mon père. Keven voulait savoir si j'étais revenue en ville. Mon père, lui, espérait que mes vacances de Noël s'étaient bien passées. Il se demandait si j'avais reçu le chèque pis la carte que sa secrétaire m'avait envoyés pis il voulait savoir quand est-ce que je recommençais mon école. Il proposait qu'on aille bruncher au Deauville avec sa nouvelle blonde dans pas long pour qu'il puisse me la présenter officiellement. Mon père terminait son message en me souhaitant bonne année pis en se plaignant qu'on se voyait pas assez.

Ce soir-là, j'ai demandé à ma mère si je pouvais inviter Keven pour le souper. Je l'avais pas vu des fêtes, ça me tentait de faire de quoi avec, pis il était jamais venu chez nous. C'est hors de question, elle a répondu. On souperait ensemble en tête à tête. Pis de toute façon j'étais en punition à cause que j'étais rendue une droguée. Elle m'a dit que, d'ailleurs, elle m'expliquerait drette là comment ça se passerait, ma vie, pour les deux prochains mois. Elle avait pensé à ça, les derniers jours, au chalet, pis elle avait décidé d'instaurer des nouvelles règles. Premièrement, je lui remettrais le chèque que mon père m'avait donné en cadeau pour Noël. C'était pas vrai que j'aurais de l'argent pour m'acheter de la cochonnerie. À partir de demain, je m'en viendrais au condo direct après l'école. Pas de niaisage ni d'affaires d'aller chez Marie-Ève avant le souper. J'étais privée de sortie les soirs de semaine pis les fins de semaine, aussi. Plus d'allage au centre d'achats pis encore moins de partys au campe. Pis c'était pas tout. Elle fouillerait ma chambre pis mes affaires au moins une fois par semaine. Elle me dirait pas quand. Ça pourrait être n'importe quel jour à n'importe quelle heure. Si elle trouvait de la drogue ou de quoi de louche, elle prolongerait ma punition de deux autres mois. Elle était écœurée que je la prenne pour une valise, pis j'étais mieux de me tenir les oreilles molles pis les fesses serrées. Elle a même menacé d'appeler la mère à Marie-Ève pis de lui dire pour la mess si elle me pognait à essayer de l'enfirouaper ou à mentir. Je l'écoutais déblatérer pis je capotais. Pendant qu'elle finissait de m'expliquer comment j'aurais plus le droit de rien faire, je me disais que ma vie sucerait vraiment des raies. Je serais comme l'écrivain dans *Misery.* Les flots en prison à l'Institut avaient plus de liberté que moi, astheure.

J'ai pas parlé à ma mère du souper. J'étais trop fâchée contre elle. Surtout qu'elle a mangé son macaroni au jus de tomate en me regardant pis en se pensant une bonne mère. Elle était fière de sa shot, ça lui paraissait dans face.

Je suis allée m'enfermer dans ma chambre tout de suite après avoir fini de manger. J'ai pas aidé ma mère à desservir la table ni à laver la vaisselle. J'ai même pas déposé mon assiette sale dans l'évier. Qu'elle s'arrange. J'ai mis le CD de Blondie pis je me suis allongée sur mon lit pour réfléchir. Fallait que j'élabore un système pour voir Keven pareil pis pour avoir de la mess. Keven me domperait si on faisait rien ensemble jamais.

Les semaines suivantes, j'ai développé des techniques pour contourner les règles à ma mère. Avec Keven, on était devenus officiels pis on s'arrangeait pour se voir le plus souvent possible au terminus, après la poly. Y avait un vingt minutes de jeu entre la bus nolisée de l'école pis celle que je devais prendre pour m'en retourner chez nous. On en profitait pour se frencher pis Keven me parlait de musique pis des films d'horreur qu'il venait d'écouter. Il avait hâte que ma punition finisse pour qu'on en écoute chez eux. Moi avec. J'étais tannée en plus de juste l'embrasser pis j'avais envie qu'on passe aux choses sérieuses.

Pour la mess, c'est Marie-Ève qui me l'amenait. Je me l'achetais avec l'argent que ma mère me donnait pour payer ma carte repas mensuelle à la café de la poly. J'en faisais en cachette au condo avant de partir pour l'école, le matin, ou avant que ma mère revienne de travailler à cinq heures et demie pile. Des fois, j'en faisais le soir quand j'entendais ma mère éteindre sa lampe de chevet. Je la cachais dans un toutou sur mon lit. J'avais enlevé un peu de bourrure, juste assez pour rentrer un petit sac. Ma mère a jamais pensé à regarder là. Ça paraissait pas pantoute anyway que mon ourson était décousu un peu. Y avait juste un mini trou en bas du dos pis on le voyait pas sauf si on regardait d'ultra proche.

Mon père m'appelait de temps en temps pour savoir ce qui arrivait avec moi pis c'est quand que je pourrais aller au restaurant avec lui pis sa blonde. Ma mère lui avait pas parlé de la mess pis de ma punition, ça fait que j'inventais des excuses pour pas y aller. J'avais trop de devoirs, je passais mes grandes fins de semaine dans mes livres, y avait un party au campe, c'était la fête à Marie-Ève, j'allais à Québec avec maman.

Je savais que, si je toffais, ma mère se tannerait de me surveiller sans arrêt. Je veux dire, elle pouvait plus coucher chez son chum ni souper au restaurant avec son amie de fille. C'était impossible qu'elle trouve pas ça dull. Elle a baissé sa garde à la Saint-Valentin, après que Paul l'ait invitée à passer une fin de semaine en amoureux à L'Anse-Saint-Jean. Elle avait pas voulu, pour la fin de semaine, mais elle était allée manger avec au Georges Steak House. J'étais restée chez nous pis elle avait télé-phoné trois fois durant la soirée pour me demander ce que je faisais pis pour vérifier que j'étais bien toute seule au condo. Après ça, elle a recommencé à me faire un peu plus confiance pis elle m'a redonné le chèque à

mon père pour que je le dépose avant qu'il passe date.
Je pense que c'était une semaine après sa sortie. J'étais
mieux de pas la trahir, elle m'avait dit en me le tendant.
J'ai pris ça pour la fin de ma punition.

LE VENDREDI D'APRÈS, en revenant de l'école, j'ai encaissé le chèque à mon père pis j'ai appelé Fred d'une cabine pour savoir si je pouvais passer chez eux acheter une batch de mess. Ça tombait bien, il était descendu à Québec durant la semaine de relâche. Il venait juste de brasser. J'avais juste à venir à son appart quand sa mère serait partie travailler. Elle faisait le shift de quatre à minuit.

J'ai pris l'autobus parce que ma mère voulait pas me lifter chez Fred. Il habitait Rivière-du-Moulin, mais en bas de la côte. Ma mère aimait pas ça, que j'aille dans ce coin-là. Elle disait que c'était un quartier mal-famé. Elle avait lu dans le journal qu'une fille s'était fait violer dans le parc McLeod. J'avais entendu parler de cette histoire-là, moi avec. Pis je savais c'était qui, la fille. D'après moi, elle avait tout inventé. Elle avait dû se frustrer contre un gars qui voulait pas sortir avec pis raconter partout une histoire de viol en plein air pour se rendre intéressante. C'était juste une pute. Toute la ville lui avait déjà passé le doigt. Je suis débarquée de l'autobus trois arrêts avant chez Fred. Je me rappelais plus où il restait. J'étais venue une fois chez eux à la fin de l'automne. Fallu que je marche dix minutes pour me rendre.

C'est vrai que c'était un quartier de BS, Rivière-du-Moulin en bas. Y avait rien que des blocs appartements pis des bancs de neige noircis par les chars. Ça sentait fort la marde de chien qui dégèle pis les vidanges empilées en arrière des immeubles. Les lampadaires marchaient pas tous. J'avais peur de me faire attaquer. Peut-être que la fille dans le journal avait rien inventé pantoute, en fin de compte.

En marchant vers chez Fred, j'ai vu un gars louche avec le bummer ouvert pis des bottes de skidoo pas lacées. Je me suis demandé pourquoi il restait planté sur le trottoir. C'était clair que c'était un fou. Le gars arrêtait pas de regarder vers moi. J'ai fait semblant de rien, mais quand je suis arrivée à sa hauteur, j'ai fermé le son de mon discman pour l'entendre arriver par en arrière si jamais il m'attaquait. Finalement, le gars attendait son chien qui pissait de l'autre bord d'un banc de neige à moitié fondu. Quand même, je m'étais tellement fait peur que j'ai couru le reste du chemin.

Fred m'a ouvert la porte. Ça lui faisait ben, il venait de se raser la tête, mais il avait encore sa petite crisse de barbe en touffes de blondinet. Il a fait une drôle de face. Il m'a dit de pas pogner les nerfs, mais Mélanie était là.

Elle était venue acheter de la mess elle avec. Honnête-
ment, je m'en crissais pas mal. J'avais juste hâte de lui
voir l'air quand elle me verrait ressoudre.

Je me demandais si la chambre à Fred était encore
peinturée en noir avec plein de posters sur les murs.
Fred en avait des super rares. Il m'en avait montré un
de Led Zep. C'était à son père quand il était jeune. Fred
disait que ça valait trois mille piastres, astheure. Je pense
qu'il exagérait parce que j'avais vu le même poster à
vingt piastres dans la vitrine du Planète Rock. J'imagine
que c'était une reproduction de l'original, mais pareil.

Son père était mort du cancer des poumons quand
Fred avait neuf ans. C'est pour ça qu'il exagérait tout le
temps quand il parlait de lui. Depuis sa mort, le père à
Fred chiait pas de marde, même si tout le monde disait
que c'était un trou de cul de son vivant. Fred passait
son temps à nous raconter comment son père l'emmenait partout avec lui, même à la brasserie. Il disait
aussi qu'il avait slaqué sur les heures à la shop pour
passer plus de temps avec sa famille. Avant son cancer,
il travaillait juste douze heures par semaine. Le reste
du temps, il vedgeait à l'appartement pis il jouait au
Nintendo avec Fred après l'école.

Il en avait parlé, de la shop pis de son père, la fois
où j'avais été chez eux. Sa mère était là. Elle préparait le
souper, je m'en rappelle. Elle s'était mise à traiter le père
à Fred d'ostie de chien en sortant le plat de pâté chinois
du four. Elle était tellement en crisse qu'elle l'avait sorti
sans mettre de mitaines à four. Elle s'était brûlée, c'est
sûr, mais elle avait même pas eu l'air d'avoir mal. Fred

l'avait traitée de folle, pis on était allés manger notre souper dans sa chambre. Après, il m'avait raconté que sa mère avait plus de terminaisons nerveuses au bout des doigts parce qu'elle se les était négatées en transportant les assiettes chaudes pendant vingt ans au resto où elle travaillait. Il m'a aussi expliqué pourquoi elle haïssait son mari de même. C'est parce qu'il avait pas de sang dans le corps, pis c'était jamais arrivé qu'il se fasse pas crisser à la porte de ses jobs. Pis sa mère, elle trouvait pas ça juste de se taper soixante heures au resto parce que son mari s'était fait slaquer.

Je me demandais comment Fred avait réussi à convaincre sa mère de le laisser peinturer sa chambre en noir. Au condo, la mienne avait jamais voulu que je mette cette couleur-là. Au lieu, j'avais eu un vert forêt de marde. La décoratrice à ma mère pensait que c'était une couleur apaisante. C'était marqué sur la charte des couleurs qu'elle traînait toujours dans sa sacoche. Je trouvais Fred chanceux.

Quand elle m'a vue arriver dans la chambre, Mélanie a fait comme si elle cherchait quelque chose dans son sac à dos. Je lui ai dit que c'était correct. Je lui en voulais plus pour Pascal. J'étais passée à autre chose. Mélanie a eu l'air soulagée pis elle s'est levée du lit pour venir m'embrasser sur les joues. Je me demandais ce qui se passait avec elle. Me semble qu'elle avait perdu vingt livres depuis le retour des fêtes. Ça paraissait pas trop à la poly, mais là, avec le gilet serré des Wampas qu'elle portait, on voyait juste ça. Avec ses nouveaux cheveux, je la trouvais quasiment hot. C'était le Flirt paprika qu'elle avait utilisé, pis on dirait qu'elle s'était acheté une Wonderbra. Je me demandais comment elle avait pu maigrir vite de même. Sérieux, elle avait toujours été toutoune. Je comprenais pas. Elle devait prendre d'autre chose que de la mess. J'avais entendu dire que le speed faisait maigrir. Je demanderais à Marie-Ève si c'était vrai, elle saurait ça.

Fred a sorti la mess de son sac à dos. Je lui ai donné cinq vingt piastres. Je voulais en acheter plein. J'en garderais pour moi, mais j'en donnerais aussi un peu à Marie-Ève. Un genre de cadeau pour la remercier de m'avoir aidée pendant que j'étais cloîtrée chez nous.

J'ai commencé à me faire des tracks sur la table de nuit. Elle était en mélamine noire pis elle était pleine de poussière. Ça m'écœurait de m'imaginer en train de sniffer de la saleté. Mais la mélamine noire, c'est un ramasse-poussière. Ma mère l'a toujours dit. C'est pour ça qu'on avait aucun meuble en mélamine dans la maison où on habitait avec mon père.

La nouvelle mess à Fred était malade. Il avait jamais eu du bon PC de même. Il l'avait coupée à .12 pis c'était de la bombe pareil. C'était du PC vert. Les punks au carré D'Youville appelaient ça du PC chiclets. Je savais pas pourquoi, mais en tout cas le monde virait fou là-dessus. Le PC était tellement fort que le petit sac en plastique dans lequel Fred l'avait ramené de Québec avait commencé à fondre le temps qu'il traverse le parc.

On a mis un CD des Dead Kennedys pis Marie-Ève est arrivée elle avec. Quand elle a vu Mélanie, elle m'a regardée en se rentrant deux doigts au fond de la gorge pis elle a mimé de vomir. Ça a eu l'air de faire de la peine à Mélanie. J'avais pas le goût de me chicaner à soir. J'ai dit à Marie-Ève de se dépêcher de prendre sa mess si on voulait être stones en même temps. Fred leur a préparé des tracks grosses comme des boulevards sur la table de nuit pis il a laissé Marie-Ève sniffer en premier. Mélanie a sniffé la sienne d'un coup. Ça m'a surprise parce qu'elle était déjà stone pas mal. Fred pis elle avaient dû commencer à en faire tout de suite en revenant de l'école. Les pupilles de Fred étaient tellement dilatées qu'on voyait même plus le vert, comme s'il avait deux trous à la place des yeux. Justement, il a dit qu'il était mieux d'attendre, le temps que celle qu'il avait prise descende un peu. On a écouté le CD des Dead Kennedys au complet pis celui de Big Bad Voodoo Daddy.

Surprenamment, même si le PC était de la bombe, la mess nous arrachait pas tant les narines. C'est le dextrose qui l'adoucissait. D'habitude, Fred la brassait avec du lactose, mais y avait une pénurie dans la région. Il était même allé jusqu'au Naturiste d'Alma pour en trouver. Mais oublie ça, c'était comme si tous les pushers de mess avaient reçu leur PC en même temps.

Mélanie disait pas grand-chose pis elle restait évachée sur le lit, accotée dans le coin. J'ai pensé que c'était parce qu'elle capotait à cause de moi pis de Marie-Ève. Elle le savait au fond, qu'on l'haïssait depuis la fois du campe. Marie-Ève nous racontait qu'elle s'était pognée avec les filles du band, à cause des covers de Hole qu'elles étaient supposées jouer à leur prochain show.

Elle disait que Courtney Love, c'était une folle, elle avait peut-être même tué Kurt, la câlisse. Keven pensait ça aussi, il m'avait dit que c'était comme Yoko Ono avec John Lennon, mais en pire. À un moment donné, Mélanie s'est mise à baver. Pas gros, mais juste assez pour qu'on trouve ça dégueulasse. Fred l'a brassée un peu parce qu'elle était trop vedge. Moi je lui ai pitché un toutou. C'était un gros dauphin en peluche que Fred avait gagné à Beauce Carnaval. Mélanie a pas réagi sur le coup. Après une couple de secondes, elle a essayé de dire quelque chose, mais on comprenait rien parce qu'elle avait la gueule molle. On s'est dit qu'on allait la laisser tranquille pis qu'au pire on la mettrait dans la douche. Mais elle a commencé à vomir. Marie-Ève a paniqué pis elle a crié que Mélanie était en train de passer out. On avait jamais vu ça, nous autres, quelqu'un qui overdosait. Sauf dans *Fiction pulpeuse*. J'avoue qu'on savait pas quoi faire. Surtout qu'on avait pas de piqûre d'adrénaline si elle se mettait à saigner du nez comme dans le film.

On a attendu un peu pour voir si Mélanie reprendrait sur elle. Fred déblatérait sur comment on pourrait la ramener en lui donnant du lait à boire. Marie-Ève s'est lamentée que ça puait le vomi dans la chambre. Elle a dit qu'on devrait ouvrir une fenêtre pour ventiler Mélanie. En même temps, on trouvait ça cool de voir quelqu'un se péter une over. Je veux dire, elle ressemblait trop à Mia Wallace quand elle écume partout pis rase mourir.

Mélanie se réveillait pas. On a attendu un peu. Au bout de pas long, je lui ai donné des petites tapes dans face, au cas. Fred est allé partir la douche pour qu'on la mette dedans. Mélanie avait une drôle de couleur. Marie-Ève sacrait après la crisse de fenêtre qui voulait pas ouvrir. Mélanie a recommencé à vomir de la bile par le côté de la bouche, ça lui coulait sur le gilet. Elle bougeait pas pantoute. J'avais peur qu'elle se mette à convulser pis qu'elle meure carré là. On paniquait pis on a parlé d'appeler l'ambulance. Sauf que c'était clair qu'on pouvait pas faire ça. Les voisins la verraient devant le bloc pis ils demanderaient à la mère à Fred ce qui s'était passé.

On a décidé de prendre le char à Mélanie pis d'aller à l'urgence. C'était le meilleur plan. Marie-Ève savait conduire même si elle avait pas encore de permis. L'auto était parkée dans la rue en arrière de chez Fred. Pendant que Marie-Ève était partie la chercher, moi pis Fred on a ramassé Mélanie par les chevilles pis par en dessous des bras. On a checké dans le couloir pour voir si y aurait pas un voisin pis on a descendu Mélanie en bas du troisième. Elle était crissement lourde, tellement qu'on a failli l'échapper deux fois dans les marches. Comme pour nous faire plus chier, y avait plein de slotche pis c'était aussi glissant qu'une patinoire. Marie-Ève nous attendait dans la Néon. Quand elle nous a vus, elle a débarqué pour ouvrir la porte arrière. On a garroché Mélanie sur le banc pis on est montés à l'urgence de l'Hôpital de Chicoutimi en paranoïant des chars de police partout. Dans l'auto, y avait «Always» qui jouait sur le tape à cassettes. Mélanie écoutait du Bon Jovi dans son char avant d'arriver chez Fred. Ostie de conne pareil. On l'a laissée en avant des portes de l'urgence pis on s'est sauvés avec le char. Après, on est allés le domper dans l'autogare en arrière de la rue Racine pis on est descendus au termi à pied. On avait faim. Il devait être rendu neuf heures, avec cette histoire d'overdose là. Y avait pas grand-chose d'ouvert, ça fait qu'on est allés au Monsieur Hotdog. J'ai commandé une poutine barbecue, Marie-Ève a pris une guedille aux œufs pis Fred s'est enfilé trois hot-dogs vapeur. Je le trouvais porc, dans les circonstances.

On pensait dire à Mélanie qu'on avait laissé son auto à l'autogare, le lendemain. Mais en fin de compte elle est restée trois jours aux soins intensifs. Paraissait qu'ils avaient été obligés de l'intuber pis de la brancher sur un respirateur parce que les médecins avaient eu peur qu'elle se vomisse dans les bronches. Une fille de la poly a même raconté à Marie-Ève que Mélanie avait tellement paniqué quand elle s'était réveillée avec le tube dans la gorge qu'ils l'avaient strappée sur son lit pis assommée avec plein de calmants encore plus forts que de la mess. Sûrement qu'on l'avait obligée à rencontrer le psychiatre de l'hôpital, aussi. Ça avait dû être un moment magique.

MOI PIS MARIE-ÈVE on revenait du cinéma. C'était les mercredis à trois piastres cinquante pis on était allées voir *Fargo.* J'ai décidé d'appeler ma mère du termi pour lui dire que je dormirais chez Marie-Ève. Elle voulait tout le temps que je lui dise où j'étais pis chez qui je couchais. J'avais pas le droit de dormir chez des gars même si ma probation était finie. Ma mère a répondu que c'était aussi ben d'être vrai pis que j'avais besoin d'être là si jamais elle appelait la mère de Marie-Ève pour vérifier. Je lui ai dit de me faire confiance, que je lui promettais d'être là, qu'on se coucherait pas trop tard, pis je lui ai dit je t'aime avant de raccrocher. De même, elle appellerait pas. Marie-Ève est partie chez eux, pis moi j'ai pris la bus Vanier jusque chez Keven. Keven m'avait jamais invitée dans sa maison, mais je savais elle était où, parce qu'on était allés chercher des outils à son père dans la remise, une fois, quand on bâtissait le campe. C'était une maison ben ordinaire en clabord blanc avec un petit balcon de trois marches. Je suis passée par le côté pour aller cogner dans la fenêtre de sa chambre. Elle était dans le sous-sol. Y avait un sticker de Fender Stratocaster collé dans la vitre. J'ai cogné pas fort pour pas réveiller ses parents. Keven a levé le store vénitien pour voir c'était qui. Quand il m'a reconnue, il a eu l'air content. Il m'a fait signe de passer par en avant de la maison. Il est venu me débarrer la porte d'entrée. Il portait des culottes de pyjama d'AC/DC. Je suis partie à rire. Il lâchait jamais, avec sa musique. Il m'a fait chut, son père venait de se coucher, il travaillait à cinq heures le lendemain.

Dans sa chambre on pourrait quand même parler sans déranger son père. De toute façon, il m'aimait, il avait dit que j'étais polie, pis la mère de Keven travaillait à la caisse populaire avec une de mes tantes. Ça le fâcherait pas que je sois dans son sous-sol avec son fils. J'étais certaine de ça. Il était cool, le père à Keven. C'était déjà arrivé qu'il nous sorte de la bière pis qu'il nous achète des cigarettes. Même qu'il venait prendre un verre avec nous, au campe, de temps en temps. Il s'assoyait dans le divan à côté de la truie pis il nous racontait des histoires de quand il volait de la coppe avec son cousin. Avec Marie-Ève, on pensait que le père à Keven était un genre d'ancien motard ou de quoi de même. En tout cas, il était fin avec nous autres.

Le dimmer de la chambre à Keven était au plus bas, pis *La nuit des morts-vivants* jouait sur sa télé. Il était beau, couetté de même. Je me demandais si c'était à cause de la lumière ou s'il était plus cerné que d'habitude. On s'est assis sur sa douillette pis on a reparlé de l'over à Mélanie. C'était pas la seule ouessée à s'être ramassée à l'hôpital cette semaine-là. Keven était pas surpris. Le PC vert, c'était traître. Il m'a souri pis il m'a donné un petit bec sur la joue. Il était spécial, Keven. Ma mère aurait dit que c'est parce qu'il me respectait. Moi je trouvais plus que c'était comme si on avait cinq ans pis que j'étais sa petite blonde. On aurait jamais dit qu'il s'était fait mettre à la porte de l'école pendant un mois parce qu'il avait vargé à coups de poing dans un capeux sur l'heure du dîner. Il avait été chanceux, le gars avait pas porté plainte parce que les parents à Keven avaient obligé leur fils à aller jobber sur son terrain. Keven disait qu'il était pas pire smatte, en fin de compte, le capeux. Il s'appelait Étienne pis il vivait à Saint-Fulgence avec sa blonde pis ses trois chiens de berger.

C'était drôle parce que j'avais jamais vu sa chambre, à Keven. Elle était toute blanche, pis il avait dessiné au crayon de plomb partout sur les murs des visages de monde que je connaissais pas pis des écritures. Keven a vu que je regardais ses dessins pis il m'a demandé si je voulais essayer de dessiner de quoi. Il était sûr que j'étais bonne en dessin. J'ai pris un crayon qui traînait sur son bureau de travail pis j'ai commencé à tracer une genre de Mia Wallace avec des piercings. Keven a dit que la fille me ressemblait, d'ailleurs pourquoi je me faisais pas percer le nez? C'était une bonne idée, je trouvais, mais mon père me tuerait.

J'ai demandé à Keven si ça lui dérangeait de repartir le film au début, je l'avais jamais écouté au complet. Il l'a recommencé pis on s'est installés sur son lit pour le regarder. C'était pas aussi épeurant que les films d'esprits ou les *Vendredi 13*. Ils faisaient un peu pitié, les zombies, d'être de même pis d'avoir faim tout le temps. Après le film, on a parlé de George Romero pis d'autres gogosses en écoutant de la musique pas fort jusqu'à quatre heures du matin. Keven m'a prêté un chandail propre pis on s'est couchés. On a dormi en cuillère sans qu'il se passe rien. Je me rappelle qu'en me réveillant, le matin, je m'étais dit qu'il était peut-être gai. Mais tout de suite après je me suis rendu compte qu'il bandait dans mon dos. Je me suis retournée pour voir s'il dormait encore. Non. Il m'a regardée pis il m'a embrassée. Il m'a dit qu'il m'aimait. Je l'aimais moi avec, pis j'ai comme eu envie de pleurer. Je me suis retenue pis j'ai répondu que je pensais que moi aussi je l'aimais.

Je me suis levée pis je suis allée voir de quoi j'avais l'air dans le miroir de la chambre à Keven. J'étais dépeignée, mais je rockais pareil. J'ai sorti de la mess de ma sacoche pis j'ai demandé à Keven s'il en voulait. Il m'a convaincue de pas en prendre pis de revenir me coucher. Il me trouvait heavy en prêtre de vouloir me geler la face à huit heures et demie du matin. Je comprenais pas ce que ça changeait, qu'il soit huit heures ou minuit le soir. En tout cas.

Avec Keven, on s'est recouchés pis on s'est embrassés encore. J'ai faké d'avoir chaud pis j'ai enlevé le chandail qu'il m'avait prêté. Keven s'est levé pour aller mettre de la musique. Il était encore bandé dans ses boxers. Je peux pas dire pourquoi, mais je savais que ça marcherait avec lui.

Keven a mis un CD de Sonic Youth pis il est revenu dans le lit. Il respirait fort. Il m'a demandé s'il pouvait me toucher. J'ai ri de lui. J'étais dans son lit les boules à l'air, c'était clair qu'il pouvait me faire tout ce qu'il voulait. Il m'a rien répondu pis il m'a enlevé mes bobettes. J'ai pas eu de misère à rentrer le pénis à Keven dans moi pantoute. Ça m'a rassurée, j'étais normale. Ça a même été le fun. Je veux dire, pas malade mais le fun pareil. J'ai eu un peu mal au début, mais après, ça a été correct. Keven est venu dans moi. Il a paniqué ben raide jusqu'à ce que je lui dise que je prenais la pilule. Il était environ neuf heures et demie. Je suis allée pisser pis je suis revenue dans la chambre. Keven cherchait une revue de musique, celle que j'avais vue sur le top de la pile à côté du lit. C'était le guitariste de Rage Against the Machine sur la couverture. J'ai demandé à Keven qu'on recommence.

J'AI DIT au chauffeur de taxi d'attendre parce que j'avais pas d'argent pour le payer. Je suis rentrée dans le Deauville pis je suis allée trouver mon père pour lui demander de m'en donner. Ça le dérangeait pas que je fasse ça. Il aimait mieux que j'appelle un taxi que je prenne l'autobus. C'était dangereux, le transport en commun. On rencontrait n'importe qui là-dedans. La preuve, mon père avait vu des jeunes délinquants qui se promenaient en autobus. Ils avaient embarqué à l'arrêt en face de l'Institut Saint-Georges. Fallait que je les évite. C'était pas des bons petits gars.

Dans son dernier message sur le répondeur, mon père m'avait pas donné le choix, pour le brunch. Je devais me présenter le dimanche, il avait quelque chose d'important à me dire. Ostie que j'haïssais ça, me faire arranger de même.

Mon père avait réservé la banquette au fond du restaurant. La table était juste à côté d'une grosse statue de taureau en bronze. Je me rappelle que j'arrêtais pas de la regarder, du temps de mes parents. On mangeait au Deauville deux fois par semaine au moins parce que ma mère disait que c'était pas juste à elle de s'occuper du souper. On restait des fois au restaurant jusqu'à une heure du matin même si j'avais de l'école le lendemain. Pendant que mes parents buvaient des cafés brésiliens, je dessinais le taureau à l'endos de mon napperon pis je parlais avec les serveuses. Quand j'étais trop fatiguée, je m'endormais sur la banquette. Mes parents me réveillaient quand c'était le temps de partir. Je me rappelle qu'une fois, mon père s'était endormi lui avec. Il était trop saoul. Ma mère pis Clinton, le gérant du Deauville, avaient été obligés de le mettre sur une chaise à roulettes pis de le rouler jusqu'à l'auto. Mon père s'était pas réveillé de la ronne. Ma mère, ça l'avait fâchée, pis elle avait dit à mon père, le lendemain matin, qu'elle avait eu honte de lui.

Je comprenais pas pourquoi il avait choisi cette place-là. C'était notre table à ma mère, mon père pis moi. Ça me faisait chier que sa greluche pis sa repousse soient assises là. On aurait dit qu'il essayait que sa blonde imite ma mère. Si j'avais été lui, me semble que j'aurais choisi un autre restaurant. Je veux dire, tout le monde connaissait ma mère au Deauville. Je savais que les serveuses se demanderaient ce que mon père faisait avec une femme trois fois moins belle qu'elle. C'était insultant pour ma mère.

J'ai commandé l'assiette brunch en me disant que j'en mangerais pas la moitié, comme d'habitude. Mon père, lui, a pris deux œufs avec des toasts. Il mangeait toujours ça pour déjeuner, restaurant ou pas. Deux œufs miroir, des toasts au beurre pis une rondelle de tomate tranchée mince. Pas de patates ni rien.

Une des premières fois qu'on a voyagé au Venezuela, dans les années quatre-vingt, mon père était allé dans les cuisines de l'hôtel pour montrer aux cuisiniers comment préparer son déjeuner. Ma mère l'avait trouvé colon pis elle avait pas arrêté de lui dire de manger de la salade de fruits comme tout le monde. Mais pour mon père il existait pas d'autre chose à manger le matin. Pis les fruits, ça lui donnait mal au ventre.

La blonde à mon père avait commandé la même chose que moi. Je pense qu'elle essayait d'être mon amie. Je l'ai pas regardée du déjeuner même si elle me parlait de temps en temps. Elle a même pris ma défense quand mon père a commenté mon linge. J'avais l'air d'une crottée avec les vieilles bottes à ma mère, mes jeans troués pis mon chandail noir déteindu. Si je voulais, il me donnerait de l'argent pour aller magasiner chez Jacob. Mieux que ça, il m'ouvrirait un compte au Jacob. J'aurais juste à aller me choisir tout le linge que je voulais pis à mettre ça sur son bill. Il devait se sentir coupable à cause du divorce. Il faisait toujours ça, me donner de l'argent ou me faire des offres pas de bon sens quand il se sentait cheap. Il devait savoir aussi que je l'haïssais, sa nouvelle blonde. C'est sûr qu'il savait qu'elle était moins belle que ma mère. Il l'aimait encore. C'est pour ça qu'il voulait m'ouvrir un compte dans une boutique au centre d'achats. Pour se rapprocher d'elle. Il devait penser que je le dirais à ma mère pis qu'elle trouverait ça fin.

J'ai dit à mon père que je m'habillais plus au Jacob depuis mille ans. J'en avais rien à crisser, du linge de pisseuse. Fallait qu'il arrête de penser que j'étais comme Véronique pis Sarah pis que je gagnerais des médailles ou que je deviendrais avocate comme lui. Mon père a regardé alentour pour voir si le monde m'avait entendue. Fallait que je baisse le ton pis que je surveille mon langage. De toute façon, on était pas venus au Deauville pour parler de mes amies ou de guenilles. Fallait qu'on discute d'une affaire importante. La blonde à mon père s'est levée pis elle a dit qu'elle allait aux toilettes. J'étais certaine que mon père m'annoncerait qu'il se mariait avec elle, qu'elle était enceinte ou qu'ils allaient déménager ensemble. Mais ça se pouvait pas, elle était ben trop vieille pis trop laitte.

Mon père voulait me parler de pension alimentaire. Il m'a expliqué que son ami psychologue lui avait dit que ce serait mieux de me la donner à moi directement. Le gars avait lu une étude américaine sur les enfants du divorce. Ça disait qu'il fallait traiter les adolescents dont les parents se séparent comme des adultes. Ça fait qu'il allait me donner l'argent de la pension à moi au lieu de le donner à ma mère. J'apprendrais à gérer mon budget. Pis je serais certaine que ma mère prendrait pas tout l'argent pour elle.

J'avoue que je comprenais pas trop pourquoi mon père écoutait son ami psychologue de même. Il prenait jamais les conseils de personne. Mais c'est vrai que je savais pas où allait mon argent. Je veux dire, ma mère faisait pas tant l'épicerie pis elle m'achetait jamais de linge. C'est clair qu'elle devait le dépenser pour elle.

J'ai dit à mon père que j'étais d'accord avec sa nouvelle façon de faire. J'allais pouvoir m'acheter tout le linge pis la mess que je voulais. La serveuse est venue pour débarrasser la table pis en voyant mon assiette encore à moitié pleine elle m'a demandé si je voulais un doggy bag. J'ai répondu que j'aimais pas ça, manger du réchauffé. Pendant que la serveuse débarrassait, la blonde à mon père est revenue des toilettes. Je lui ai dit que je lui donnerais le numéro de Michel, le coiffeur à ma mère. Ça lui ferait beaucoup mieux si elle se teindait en blonde. Mon père m'a donné douze chèques postdatés. Il est allé payer pis moi je suis allée chercher nos manteaux au vestiaire avec sa blonde. Dehors, j'ai vu qu'il s'était acheté un nouveau pick-up, c'était un Silverado. Il avait fait dessiner des stripes sur les côtés par son gars au concessionnaire. Il m'a expliqué que le motif venait direct des États, c'était une commande spéciale. J'ai embarqué pis je me suis attachée, en me disant que c'était gigon rare, un pick-up déguisé. Ça faisait gars de construction.

En rentrant, j'ai mis les chèques sur le comptoir de la cuisine. Ma mère était en train de plier du linge dans le salon. Je savais pas trop quoi faire avec douze

148

chèques postdatés, je pouvais-tu les déposer les douze d'un coup? Je comptais sur ma mère pour qu'elle me le dise. Elle m'a demandé c'était quoi, ces chèques-là. La gueule lui est tombée quand je lui ai expliqué la théorie de l'ami psychologue à mon père. Elle a commencé à sacrer pis à pleurer. Elle est allée s'enfermer dans sa chambre pis je l'ai entendue parler de mon père avec sa chum Guylaine. Elle traitait le psy pis mon père de fous. Elle était certaine que mon père avait manigancé ça pour l'écœurer. Il devait avoir su qu'elle sortait avec Paul pis qu'elle s'était trouvé une nouvelle job dans un bureau de comptables. Quand elle est ressortie de la chambre, ma mère avait le mascara coulé pis le rouge à lèvres étampé dans face. Elle faisait pitié, pareil. Je me demandais si elle serait capable d'arriver, sans l'argent à mon père. J'avais peur qu'on aille pas en Floride comme elle m'avait dit quand on a divorcé. J'ai dit à ma mère que je lui prêterais de l'argent, si jamais elle en avait besoin. Elle m'a pas répondu pis elle est sortie du condo avec juste un bras rentré dans la manche de son manteau pis le foulard mal enroulé autour du cou. Je l'ai vue embarquer dans son char pis le derrière de l'auto a chiré parce qu'elle a pris le tournant trop vite en allant pogner le boulevard.

J'ai décidé de prendre un bain. J'ai toujours aimé ça, rester longtemps dans le bain l'après-midi, mais celui dans le condo était pas mal plus petit que celui dans mon ancienne maison. Avant, on avait un bain-tourbillon. Mon père l'avait installé une fin de semaine où ma mère pis moi on était en visite à Québec. Il voulait lui faire une surprise. Elle avait toujours rêvé d'un gros bain comme dans *Scarface,* avec une télé en face, des robinets en or pis des statues. Mon père avait choisi un estie de grand bain en faux marbre, mais il avait dit que les autres cossins autour, c'était pour plus tard. Ma mère avait pleuré de joie quand elle avait vu sa nouvelle salle de bain. Moi avec je trouvais ça hallucinant. Je me disais qu'on était rendus riches, peut-être même millionnaires. Je savais pas trop. En tout cas, mon père avait dû faire une passe de cash. Son congélateur devait être plein d'argent noir.

Mon père cachait les honoraires qu'il se faisait payer au black dans le congélateur du sous-sol. C'est aussi là qu'il entreposait les dossiers de ses clients les plus importants. Le congélateur était tellement full que ma mère se plaignait qu'elle avait plus de place pour congeler sa viande. Mon père disait que, quand une maison passait au feu, le congélateur brûlait en dernier. C'est pour ça qu'il cachait son argent là. Il pouvait pas le mettre ailleurs à cause de l'impôt. Il avait déjà eu des problèmes avec eux autres quand j'étais en première année.

Je me rappelle que je revenais de l'école pis qu'il y avait trois autos du gouvernement pis un char de police devant la maison. Ma mère m'attendait dehors avec une policière. Quand je lui avais demandé ce qui se passait pis si on serait obligés d'aller en prison, ma mère m'avait dit de pas m'inquiéter. C'était des gens de l'impôt qui étaient chez nous. Ils étaient venus saisir des dossiers à mon père pis fouiller partout. Ils le soupçonnaient de blanchir de l'argent pis de faire de l'évasion fiscale. Ma mère m'avait juré que mon père avait rien à se reprocher. Je l'avais crue sur le coup, mais aujourd'hui je pense que c'était pas si vrai que ça. Les enquêteurs avaient passé deux jours chez nous. Moi j'étais restée à l'hôtel avec ma mère pis la femme police qui nous surveillait. Elle suivait même ma mère aux toilettes. Elle avait peur qu'elle se débarrasse de papiers. Mes parents avaient pas le droit de se parler pendant que les enquêteurs fouillaient la maison. En revenant chez nous, j'avais vu que les murs avaient été ouverts. Le monde de l'impôt avait trouvé les films de cul à mon père dans le plafond suspendu du sous-sol. J'ai su plus tard qu'ils avaient écouté toutes les cassettes dans la maison. C'était pour voir si mon père avait filmé des documents ou de quoi de même, mes parents m'avaient expliqué.

Dans la soirée, ma mère m'a appelée au condo. J'étais en train d'étudier pour mon examen de géo en écoutant de la musique. Elle avait l'air de s'être décrinquée. Elle m'a dit que, même si mon père se servait de moi pour l'atteindre elle, c'était correct pour les chèques. J'étais mieux de gérer ça comme du monde, par exemple, pas comme le mille piastres que j'avais eu à ma fête, parce qu'à partir d'aujourd'hui je paierais mes livres d'école, mon linge, ma passe d'autobus, mes serviettes sanitaires, pis tous les autres cossins qu'elle passait son temps à me payer. Je lui ai dit que, tant qu'à y être, je pourrais lui donner une cut sur l'épicerie pis le loyer. Elle a répondu que c'était une bonne idée. Je la trouvais pas mal bitch. Je lui ai demandé si elle avait parlé à mon père. Elle était chez Paul pis elle coucherait là. Elle m'a dit de manger comme il faut pis d'être à l'heure à la poly le lendemain.

MA MÈRE découchait de plus en plus souvent pis parlait d'aller habiter chez Paul. Je savais pas si elle me refaisait confiance au complet ou si elle me testait. Elle avait recommencé à aller chez Paul les fins de semaine pis à me laisser lousse comme avant. Paul m'avait dit, un soir en venant la chercher, qu'ils me laisseraient de la corde jusqu'à temps que je me pende avec. Il commençait sérieusement à se prendre pour mon père, ce maudit-là, pis ma mère disait rien. Paul était sur mon cas parce qu'il avait invité ma mère en Floride pour le congé de Pâques pis qu'elle avait dit non à cause de moi. Ils avaient été pognés pour rester en ville. Ils avaient pas pu monter sur les Monts parce que les trails pour aller au chalet commençaient à défoncer, pis dans ce temps-là la zec empêchait les skidoos de passer.

On était mercredi soir pis ma mère couchait encore chez son chum. Quand elle est partie du condo, j'ai appelé Keven pour savoir si ça lui tentait de venir dormir chez nous. Il s'est pointé à peine dix minutes après. J'ai ri de lui pis je lui ai demandé s'il avait pris le rapidotron. Son père était venu le porter. Il était content pour son gars qu'on sorte ensemble. Il disait que j'étais une bonne fille. Ça ferait du bien à Keven de fréquenter une petite fille qui avait de l'allure. Il arrêterait de s'enfermer toute la soirée dans le sous-sol pour écouter de la musique pis décorer les murs avec ses dessins bizarres.

Keven avait apporté des films. Dans son sac à dos, il avait *Face à la mort* pis *Cannibal Holocaust.* Je savais pas lequel j'avais le goût d'écouter en premier, ça fait qu'on a tiré à pile ou face. C'est *Face à la mort* qui a gagné. Keven m'a expliqué que ce film-là avait été banni dans plein de pays. Ils en avaient une copie piratée non censurée au Servidéo, par exemple. Je trouvais ça vraiment malade pis fallait que je fasse de la mess avant de l'écouter.

Il m'en restait encore un peu de la fois chez Fred. Si y en avait assez, Keven en prendrait aussi. J'ai préparé des tracks sur la table du salon pis, après, je l'ai essuyée avec du windex. Si ma mère voyait des traces sur la vitre de sa table, elle péterait une coche. J'avais pas envie de me taper un sermon comme quoi j'avais sali sa crisse de table pis que je respectais rien. J'ai jeté le scott towel dans la poubelle de la cuisine pis je l'ai poussé au fond pour pas que ma mère pose de questions. Mon affaire d'essuyage de table aurait l'air louche. C'est pas comme si je torchais quoi que ce soit dans le condo.

Keven a mis *Face à la mort* dans le VHS pis on a commencé à l'écouter. On était pas mal stones. Je voyais la télé en double pis les images étaient floues. Je me rappelle que le film était traumatisant. On voyait des Juifs se faire trucider durant la Deuxième Guerre mondiale pis un camion qui viandait un gars en bicycle. Les ambulanciers essayaient de le décoller d'en dessous du truck pis y avait de la cervelle partout sur l'asphalte. J'avais le goût de vomir, ça fait que j'ai regardé Keven. Il était beau avec ses cheveux peignés en banane pis son t-shirt blanc. Il roulait ses manches pis je trouvais que ça faisait rock.

On a écouté *Cannibal Holocaust* tout de suite après. C'était meilleur que *Face à la mort.* Y avait une histoire, au moins. En plus, paraissait que des comédiens étaient morts durant le tournage. La passe où les cannibales empalent la fille était trop dégueulasse. Je me suis caché la face dans le cou à Keven. Il a dit qu'on pouvait arrêter le film, si je voulais. Je voulais pas, pis j'ai commencé à l'embrasser. On a baisé sur le divan du salon en entendant le monde dans le film mourir un après l'autre.

Le lendemain, on a pris l'autobus à sept heures et vingt pis on est arrivés à l'heure à la poly. Avec Keven, on avait passé une nuit blanche à écouter de la musique pis à parler de *Cannibal Holocaust.* On se demandait si c'était vrai que les acteurs étaient morts pis si le réalisateur avait tué des animaux pour de vrai. Keven a dit qu'ils avaient aussi *Cannibal Ferox,* au club vidéo. D'après le commis, c'était encore plus heavy que *Cannibal Holocaust.*

La copie était louée, mais Keven l'avait réservée. On l'aurait au maximum le samedi d'après.

J'avais un cours de morale tout de suite en rentrant, le matin. Keven, lui, avait anglais. J'étais encore stone parce qu'on avait repris de la mess vers six heures. Le prof s'appelait Gaétan pis tout le monde le traitait de tapette dans son dos. C'est vrai qu'il avait l'air gai. Il était grand pis maigre pis il trippait sur Jésus. À un moment donné, je niaisais avec une fille assise à côté de moi. Gaétan m'a demandé ce que j'avais à rire. Je dérangeais toute la classe. C'était ça qui arrivait, avec les enfants rois. Ça faisait ce que ça voulait sans se préoccuper des autres. Il m'a sorti un proverbe de marde comme quoi la liberté des uns finit là où celle des autres commence. J'ai ri pis je lui ai dit de descendre de sur ses grands chevaux. Il s'est frustré encore plus pis toute la classe est partie à rire. Moi, il me tombait sur le gros nerf, ça fait que je l'ai appelé Gaétane le fif. Il m'a pognée par le bras pis j'ai pas touché à terre jusqu'au bureau du directeur.

Il a fallu que j'attende sur une chaise à côté du bureau de la secrétaire parce que le directeur était déjà avec une autre élève. Il avait pas fermé le store, j'ai vu c'était qui, la fille. Je la connaissais. Elle était en secondaire trois elle avec, pis elle vendait du pot au terminus. Je lui avais déjà parlé une couple de fois. Isabelle, qu'elle s'appelait. Elle pleurait dans le bureau pis le directeur avait l'air de parler au téléphone. Il devait avoir appelé ses parents. J'espérais qu'il serait pas dans le même mood pour moi. Je voulais pas qu'il appelle ma mère ou mon père pour leur bavasser ce que j'avais dit dans le cours de morale. Mon père m'arracherait la tête. Il tolérait pas que je sois impolie.

J'ai attendu environ quinze minutes sur ma chaise. Après, la secrétaire m'a dit que je pouvais rentrer dans le bureau. Le directeur a voulu savoir pourquoi j'avais été mise dehors du cours de morale. Il m'a demandé sur un ton déçu ce qui marchait pas avec moi, ces temps-ci. Il savait que mes parents s'étaient séparés, mais c'était pas une raison pour virer délinquante pis gâcher mon avenir. J'avais changé depuis le début de l'année. Je me tenais avec des filles pis des gars pas d'allure, je m'habillais tout croche pis j'étais rendue impolie. En plus, mes notes avaient baissé. Il savait pas si je passerais mon année, amanchée de même. J'ai levé les yeux au ciel. Je lui ai dit de lire mon dossier. Il a ouvert la chemise beige devant lui pis il a fait la face que je savais qu'il ferait en voyant mes notes. J'avais les meilleures notes de mon niveau, peut-être ben même de toute l'école. Quatre-vingt-dix-sept de moyenne. C'était marqué dans mon dernier bulletin. J'avais pas de misère pantoute. Genre que j'avais des chances de gagner la Médaille du Gouverneur général si je continuais de même. Le directeur m'a fait promettre d'être gentille avec Gaétan. Il a pas appelé mes parents. J'ai même pas été en retenue.

QUAND MA MÈRE est revenue de travailler, vers cinq heures et demie, je lui ai dit qu'il y avait un party au campe le soir pis je lui ai demandé la permission pour y aller. Ma mère était pas d'accord. Y avait de l'école le lendemain. J'ai répondu que j'avais pas de devoirs pis que de toute façon j'allais y aller pareil. Ma mère a dit que, si je passais la porte du condo, elle dirait à mon père que je prenais la pilule. C'était certain qu'il cancellerait ses chèques postdatés s'il savait ça. Je lui ai crié que je m'en crissais pis je suis sortie dehors avec ma froque de cuir pis une paire de gants magiques. En marchant jusqu'à l'arrêt de bus, j'ai compté dans ma tête combien il me restait d'argent dans mon compte de banque. Assez pour acheter pas mal de mess. Du buvard aussi, peut-être. En tout cas, j'avais le temps de déposer le prochain chèque avant que ma mère se décide à parler à mon père. C'était demain le premier du mois. Ça lui prendrait au moins trois jours avant de trouver le courage de lui téléphoner.

J'étais partie de chez nous vite pis j'étais pas habillée pour aller dans un party. Je portais des vieux jeans à jambes évasées. J'avais tellement peur de rencontrer une fille de la gang dans l'autobus. Tout le monde me niaiserait s'ils savaient que j'avais encore ce genre de culottes là dans mon garde-robe.

J'ai décidé d'aller chez Marie-Ève pour qu'elle me prête du linge. On pourrait se peigner pis se maquiller dans sa chambre pis peut-être que sa mère viendrait nous reconduire à la trail. J'espérais juste qu'elle serait chez elle pis pas chez Fred.

J'ai téléphoné à Marie-Ève du terminus. C'est elle qui a répondu. J'avais juste à m'en venir. Elle s'était même pas encore habillée ni lavé les cheveux pis elle m'a demandé si j'avais soupé. J'ai fait semblant que oui parce que ça me tentait pas de manger avec Marie-Ève pis ses parents. En plus, sa mère cuisinait toujours des mets bizarres. Une fois, elle avait préparé un spaghetti tunisien. C'était épicé pis dégueulasse.

Ça m'a pris vingt minutes, monter jusque chez Marie-Ève en bus. On passait devant l'Institut Saint-Georges pour y aller. Quand la bus s'est arrêtée devant, les gars que mon père haïssait sont montés. Sont allés s'asseoir en arrière pis ils ont commencé à gueuler des niaiseries. Y en avait un qui était cute même s'il s'habillait encore en skateux. Keven était mille fois plus beau que lui, par exemple.

Les gars de l'Institut sont débarqués en face du centre d'achats. Ça m'a rappelé que ça faisait un bout que j'y avais pas été. Les vendeuses du Ardène pis de La Senza devaient m'avoir oubliée. Je pourrais retourner voler des bobettes pis des boucles d'oreilles bientôt. Je me demandais si Marie-Ève voudrait venir avec moi. J'étais jamais allée à Place du Royaume avec elle. C'était clair qu'elle magasinait. Elle avait tout le temps du nouveau linge sur le dos.

Je suis arrivée chez Marie-Ève au moment où sa mère servait le souper. J'avais bien fait de mentir, sa mère avait préparé une genre de gibelotte collante. Elle m'a dit que ça s'appelait du risotto pis que ça venait d'Italie. Je devais absolument y goûter même si j'avais déjà mangé. J'ai comme été obligée de dire oui pis de m'installer à table avec eux autres. Le père pis les deux frères jumeaux à Marie-Ève avaient presque terminé leurs assiettes. Je savais pas trop comment manger ça, moi, du risotto. Marie-Ève m'a dit qu'il fallait que je mette du parmesan dessus, c'était meilleur. Elle m'a passé une espèce de râpe du futur que je savais pas comment râper avec. En me voyant gosser, un des jumeaux m'a dit que, ben là, j'avais juste à tourner. J'ai répondu que wô, je savais, j'étais pas ortho. Finalement, j'ai vidé mon assiette, c'était pas pire bon.

On a aidé la mère à Marie-Ève à desservir la table pis à remplir le lave-vaisselle. Son père est revenu dans la cuisine pis il lui a demandé si elle avait besoin de quelque chose, il s'en allait au Canadian Tire pour changer sa drill. Les jumeaux, eux autres, se sont dépêchés de descendre dans le sous-sol. C'était pas surprenant, ils restaient jamais avec Marie-Ève pis moi quand j'allais chez eux. Ils devaient se penser bons vu qu'ils étaient plus vieux. Ça m'énervait, j'étais pas capable de savoir si c'était Olivier qui me parlait ou si c'était Jean-Françoïs. Ils étaient pires qu'identiques, mais ils étaient beaux égal. En plus, ils se lâchaient jamais pis ils cruisaient le même genre de filles. Ils avaient même sorti avec les sœurs Imbault une couple de mois. Moi pis Marie-Ève on trouvait ça poussé pis on les écœurait en leur disant que, si jamais ils se mariaient, ils auraient des enfants siamois. Je disais ça, mais j'étais jalouse pareil. Moi avec j'aurais voulu pogner avec des gars de vingt ans.

Marie-Ève pis moi on est allées dans sa chambre. Ses parents avaient pas mal de cash, ça fait qu'elle avait une grande chambre avec sa salle de bain à elle. Son père travaillait dans la finance, pis mon père le traitait de requin. Ma mère disait que c'est parce qu'il était envieux qu'il parlait de même.

Marie-Ève m'a dit qu'elle s'en allait prendre sa douche pis elle m'a demandé si je venais avec elle. J'avais pas besoin de me laver. Je me suis demandé si elle était lesbienne pour de vrai. Je veux dire, pourquoi elle m'inviterait dans sa douche, sinon?

Pendant que Marie-Ève se lavait, ça a cogné à la porte de sa chambre. C'était sa mère avec le téléphone sans fil dans les mains. Fred voulait parler à Marie-Ève. Je lui ai dit de me le passer, Marie-Ève était dans la douche. J'ai pris le téléphone pis j'ai refermé la porte.

Fred a demandé quand est-ce qu'on s'en venait pis s'il nous restait de la wâ de la batch qu'il avait brassée avant le congé de Pâques. Si pas, il en apporterait plus. Il m'en restait presque plus. Fallait que j'en achète beaucoup avant que mon père bloque les chèques. Pas de problème, Fred en amènerait en masse pour tout le monde.

Marie-Ève se séchait les cheveux, pis je fouillais dans ses tiroirs pour trouver du linge qui me ferait bien. J'ai choisi un chandail à franges vraiment dess avec un aigle à tête blanche pis le drapeau américain dessus. Avec des jeans serrés noirs pis mes bottes, ça serait parfait. Sur mes yeux, j'ai dessiné une ligne avec du eyeliner noir Revlon pis j'ai collé des brillants. Ça flashait. Après, j'ai raidi mes cheveux au fer plat style Mia Wallace. J'étais belle. Keven capoterait quand il me verrait.

Marie-Ève, elle, a laissé ses cheveux lousses. Ils étaient bruns pis super longs, pis quand elle venait de les laver elle ressemblait à la fille frisée dans l'annonce d'Alberto VO5. J'étais jalouse de ses cheveux même si elle me disait tout le temps qu'elle aurait aimé ça, les avoir raides comme les miens.

J'ai dit à Marie-Ève de mettre ses culottes de cuir noir. Elle avait l'air mince dedans pis ça lui faisait un cul racing. Avec son bustier en léopard, elle allait rocker tout le monde. Elle m'a demandé de la maquiller. Elle l'avait pas pantoute pour ces affaires-là. Elle ratait toujours sa ligne d'eyeliner pis elle se ramassait avec un espèce de pointillé pas rapport au-dessus des paupières.

C'était laitte pis ça aurait été platte qu'elle se le fasse renoter par les autres filles.

Vers huit heures, le père à Marie-Ève nous a laissées à l'entrée de la trail du campe. Il nous a dit d'être prudentes pis d'y aller mollo avec les petits gars. On a ri, en promettant de pas briser de cœurs, pis on est sorties du char.

Il faisait noir sur le bord de la route pis c'était encore pire dans la trail. Les épinettes cachaient la lune. On s'est trouvées connes de pas avoir pensé à demander à un des gars de venir nous chercher avec une flashlight. On marchait pas vite, parce que la trail était en bouette, même si y avait encore des plaques de neige dans la forêt, pis parce qu'on voyait presque rien. J'avais peur de m'enfarger dans une roche ou une souche. Je voulais pas non plus salir mes belles bottes, celles d'hiver étaient restées au condo. On a entendu un bruit de branches cassées, pis Marie-Ève a lâché un cri pis elle a arrêté d'avancer. J'étais pognée pour arrêter aussi. Je lui ai dit en fakant une voix paniquée que c'était le fantôme de la perdrix morte. Elle m'a répondu vraiment fâchée que c'était loin d'être drôle. Je lui ai dit qu'elle était donc ben moumoune. Elle a fini par repartir, après qu'on ait passé une couple de secondes à écouter le noir autour. Pendant qu'on marchait, j'ai dit que ce serait cool de voir des lumières comme celles que le chum à ma mère avait vues. Marie-Ève m'a demandé de pas parler de ça. Elle m'a dit qu'elle comprenait pas pourquoi on était pas rendues au ruisseau déjà, que ça avait pas d'allure. J'entendais dans sa voix qu'elle commençait à freaker. Elle disait qu'on s'était peut-être perdues. Pas pantoute, j'ai dit. On a continué pis, comme de fait, on a traversé le ruisseau deux minutes plus tard.

Quand on est arrivées au campe, y avait du monde qui se faisait des plombs à la torche à côté de la porte. On s'était mis à fumer dehors quand la température était montée en haut de zéro. Sinon, ça sentait trop le crisse en dedans. Keven était en train de se faire une ronne de couteaux avec Jean-Simon, Fred pis Pascal. Y avait deux punks avec des spikes assis sur la galerie, mais je les connaissais pas. Ils devaient venir de Québec pour être accoutrés comme ça. Les punks de Chicout se peignaient pas pareil pis j'en avais jamais vu qui laissaient pendre leurs bretelles de même le long de leurs culottes pis qui laçaient leurs dix-huit trous avec des lacets blancs. Fred parlait avec un des deux, sa plogue de PC, j'imagine. Mélanie était pas là. Tant mieux. Depuis qu'elle était sortie de l'hôpital, elle se pensait notre meilleure amie parce qu'on l'avait sauvée. Son over l'avait pas rendue moins conne. Astheure, ses parents lui laissaient plus beaucoup de liberté. Elle devait être enfermée dans sa chambre vingt-quatre heures sur vingt-quatre. Pauvre elle, pareil.

J'ai pas fumé. Le pot me donnait mal au cœur. La dernière fois que j'en avais pris, j'avais senti le fil de peau élastique en dessous de ma langue pis ça m'avait fait badtripper à mort. Keven est venu me dire qu'il voulait me parler. Je comprenais pas, il avait son sac à dos sur l'épaule. Il m'a demandé de le suivre en arrière sur la grosse roche. Moi, ça me tentait de rentrer dans le campe. Je commençais à avoir froid, en petites bottes. Mais il a insisté. Ça devait être important, c'était pas le genre à tacher. Je l'ai suivi.

Je paranoïais qu'il cassait avec moi. Il a mis son sac à dos sur ses genoux pis il l'a dézippé. Il a sorti cinq cassettes pis il m'a dit de les mettre dans ma sacoche. Fallait pas que personne les voie. J'étais dans le champ de penser qu'il me dompait. Les cassettes, c'était un cadeau. Keven avait mixé mes tounes préférées pis les siennes. Sur la dernière cassette, il avait mis des groupes que je connaissais pas pis que j'allais capoter dessus. Il m'a fait promettre de pas les prêter à personne. J'hallucinais, même si je trouvais ça quand même un peu intense. C'était clair que c'était l'homme de ma vie pis qu'il m'emmènerait en voyage à Berlin. Je me rappelle que je l'avais embrassé longtemps sur la roche pis qu'on était rentrés en dedans juste parce qu'il s'était mis à pleutasser.

Dans le campe, Marie-Ève pis Fred faisaient de la mess sur la table à cartes. Y avait comme quatre caisses de vingt-quatre dans un coin pis je me demandais c'était quoi, le rapport. On buvait jamais beaucoup de bière. C'est Keven qui les avait apportées. Je me demandais où il avait trouvé l'argent pour payer ça. Son père devait lui en avoir donné parce qu'il l'avait aidé sur une job. Je comprenais pas pourquoi Keven l'avait pris pour acheter de la bière à tout le monde. On avait de la mess, du buvard, pis les punks de Québec avaient amené plein d'autres affaires que j'avais jamais essayées. On avait pas besoin de bière en plus. Keven m'a dit qu'il feelait pour le party du siècle.

Tout le monde était en feu. Marie-Ève avait pris du buvard pis elle parlait full vite. Elle était en train de me raconter quatre histoires en même temps pis je comprenais rien. J'avais pas fait de buvard parce que ça me tentait pas de pas dormir de la nuit. Anyway, j'étais déjà tellement stone. Les punks se tannaient pas d'essayer de prendre le contrôle du stéréo à Keven. Je les regardais aller en riant, ils étaient mieux d'oublier ça. Keven se crissait pas mal d'eux autres pis, comme pour les faire plus chier, il venait de mettre une toune de Chuck Berry. Marie-Ève continuait à déblatérer. Elle me racontait une histoire avec sa mère qui aimait mieux ses frères qu'elle. Aucun rapport. Ostie qu'elle s'inventait des problèmes, des fois. Je lui ai dit d'arrêter de capoter pis de venir danser.

À un moment donné, ça a vargé dans la porte du campe. Je sais pas quelle heure il était, mais il devait être quand même tard parce qu'il restait quasiment plus personne. On s'est demandé si on hallucinait. Je me rappelle que j'étais trop ouessée pis que j'étais restée étampée dans le divan. Marie-Ève s'est levée pis elle a pas eu le temps de faire deux pas. Tout ce que je sais, c'est que mon père a ressous dans le campe pis qu'il avait l'air de vouloir m'égosser. J'ai vu ma mère dans le cadre de porte. Elle était paniquée. Moi je capotais. Y avait des petits sacs vides un peu partout pis un reste de mess sur la table. Mon père m'a dit de m'habiller. Il m'a pognée par le bras. On s'en retournait chez nous.

Je cherchais Keven pis je le voyais nulle part. Y avait juste ses bottes à côté de la porte. Mon père m'a dit de m'enligner pis d'avancer. C'est pas vrai qu'il y aurait une droguée dans la famille. S'il fallait, il m'embarrerait dans le sous-sol jusqu'à mes dix-huit ans. On est sortis du campe pis je me suis dit que Keven devait être parti chez eux. Je me demandais pourquoi il avait pas pris ses bottes. Il devait être tellement gelé lui avec qu'il avait confondu ses bottes avec celles d'un autre gars.

On a descendu la trail crissement vite. Ma mère pis mon père parlaient de désintox pis de l'Institut Saint-Georges tout le long en descendant. Quand on est arrivés au truck, mon père m'a dit de m'asseoir sur le banc d'en arrière, on s'en allait au condo. Je dégelais pas pantoute pis les lumières du boulevard Sainte-Geneviève m'agressaient. Je me disais qu'ostie, j'avais pas besoin de ça. En plus, ils s'étaient mis les deux ensemble. Je me demandais ce qui allait se passer. En tout cas, j'étais dans la marde.

Au condo, ils m'ont demandé si je me sentais bien. J'étais top shape. Juste un peu passed out. Mais je pouvais pas leur dire. Je voulais pas qu'ils m'emmènent à l'hôpital pis que les médecins me siphonnent encore l'estomac en me forçant à avaler leur ostie de sonde. C'était plus fort que moi, j'ai ri. Y avait rien de drôle là-dedans, ma mère a dit en shakant de la babine d'en bas. On s'est assis à la table de la cuisine pis mon père m'a dit qu'il savait que je consommais des drogues. Ma mère nous a apporté des verres d'eau pis elle s'est installée à côté de mon père. Y avait un dépliant sur les drogues devant eux autres. Mon père m'a raconté l'histoire de son ami qui avait fumé du pot, une fois, pis qui était viré fou. Le gars avait fait un party dans son sous-sol. Il habitait tout seul avec sa mère. À un moment donné, il était monté en haut pis il était redescendu avec un bol de chips. Le lendemain matin, on avait retrouvé la mère de son ami morte dans la cuisine. Il l'avait poignardée. Son ami avait dû entendre des voix. Peut-être ben même qu'il avait fait une psychose. Mon père l'a jamais su pis le gars a pogné vingt-cinq ans. Mon père a plus jamais retouché à la drogue de sa vie, après ça. Pour lui, c'était clair que c'était la faute de la dope si son ami avait tué sa mère.

Mon père a toujours été un bon menteur, pis j'étais sûre que son histoire, il l'avait inventée pour me faire peur. Voire si quelqu'un tuerait sa mère après avoir fumé un joint. J'ai pas dit à mon père que je le croyais pas, par exemple. Ça aurait empiré mon cas. Au lieu, j'ai dit que je fumais pas de pot. Mon père s'est mis en crisse pis il m'a demandé de lui dire ce que je prenais, d'abord. J'ai pas répondu. De toute façon, ma mère s'était mise à pleurer tellement fort qu'on s'entendait plus parler. J'ai demandé à mon père si je pouvais aller me coucher. Il était tard pis j'étais fatiguée. En plus, y avait de l'école le lendemain. J'irais pas, il a dit. On s'en allait rencontrer un intervenant à l'Institut. J'avais dépassé les bornes. Mais fallait pas que je m'inquiète trop. Ils me feraient pas enfermer tout de suite. Ils voulaient juste que je parle de mon problème de consommation avec un professionnel de la santé. J'en revenais pas. Je me disais que je pourrais lui raconter n'importe quoi, au travailleur social. Je savais exactement quoi faire pour qu'il me crisse la paix. Je lui parlerais du divorce.

Il était onze heures quand je me suis réveillée, le lendemain matin. J'étais poquée pis je devais avoir l'air du diable. Ma mère est rentrée dans ma chambre sans cogner. Elle pleurait, mais y avait quelque chose qui marchait pas dans sa face. Je lui ai dit d'arrêter de capoter. Je prenais pas tant de drogue que ça.

Ma mère avait le téléphone sans fil dans sa main. Elle me l'a donné pis elle m'a dit de téléphoner au père à Keven. Il avait appelé de bonne heure, quand je dormais encore, pis il avait demandé que je le rappelle dès que je me réveillerais. Il devait chercher Keven. Je savais qu'il était parti du campe sans ses bottes.

C'est la mère à Keven qui m'a répondu. Mais elle pleurait dans le téléphone pis je comprenais rien de ce qu'elle disait. Elle devait être inquiète. Je lui ai dit de pas paniquer, que Keven s'était probablement endormi chez un de ses chums pis qu'il avait pas dû se réveiller à temps pour la poly.

J'ai plus rien entendu dans le téléphone pis après j'ai entendu la voix de son père. Il a dit mon nom pis il a dit qu'il était arrivé quelque chose à Keven. Il s'était pendu durant la nuit. C'est sa mère qui l'avait trouvé. J'ai dit que c'était impossible. Il m'a dit que, là, il fallait qu'il raccroche.

J'entendais plus rien. Je voyais plus rien. Je pensais juste à une affaire que j'avais lue dans un *Allô Police* à mon père, une fois. Ça disait que, quand on meurt pendu, on voit des petits points de lumière jaune.

Je me rappelle qu'après que j'aie raccroché avec le père à Keven, ma mère est revenue dans ma chambre. Elle s'est assise sur mon lit pis j'ai pleuré longtemps dans le creux de sa robe de chambre en ratine de velours. Ma mère me flattait les cheveux pis, pour une fois, elle a pas parlé. Y avait pas grand-chose à dire, remarque.

À un moment donné, j'ai repris sur moi. Ma mère m'a apporté un verre d'eau pis elle a appelé à la poly pour dire que je serais absente au moins une semaine. La secrétaire a pas posé de questions. Les parents à Keven devaient déjà avoir avisé l'école. Ma mère m'a dit de l'avertir si je me sentais pas bien ou si j'avais besoin de quoi, pis elle a refermé la porte de ma chambre doucement.

Je sais pas pourquoi, mais ce jour-là j'étais persuadée que je feelerais un peu mieux si je restais pas toute la journée en jaquette. J'ai ouvert le tiroir de ma commode pour me choisir un t-shirt. J'ai réalisé que c'était pas mal à l'envers là-dedans pis j'ai entrepris de faire le grand ménage. J'ai vidé le contenu du tiroir sur mon lit pis j'ai commencé à réorganiser mon linge. Ma mère m'avait appris comment plier des t-shirts comme du monde en ramenant les manches dans le milieu avant de replier le haut sur le bas. Ça avait l'air simple quand elle me l'avait montré, mais tout de suite là, je trouvais ça compliqué pis j'étais pas capable. J'ai fouillé dans le tas en me disant que ce serait plus facile si je commençais par les camisoles. Je suis tombée sur mon vieux chandail en coton ouaté du camp de vacances Trois-Saumons. Il devait m'aller encore, j'ai pensé. J'ai eu un peu de misère à passer ma tête dans le col, mais il était pas devenu trop petit. Je me suis levée de mon lit pis j'ai ouvert mon garde-robe pour me sortir une vieille paire de jeans. Quand j'ai vu le bordel de souliers mélangés avec des papiers d'école au fond pis les supports tombés, j'ai tout sorti pis j'ai commencé à classer mes souliers. Y en avait une méchante gang que je portais plus depuis un bout. J'ai garroché les Kickers pis les Stan Smith dans le coin de la chambre. J'irais les domper plus tard dans le container.

Ma mère a cogné à la porte de ma chambre pis elle est rentrée avant que je lui dise qu'elle pouvait. Elle entendait mon barda jusque dans la cuisine même si le lave-vaisselle fonctionnait, pis elle était inquiète. D'ailleurs, c'était quoi, le linge pis les souliers étalés partout dans la chambre ? J'ai pas répondu, pour le linge. J'ai dit que ça se pouvait pas. C'était impossible que Keven se soit suicidé. Je comprenais rien pis je savais que ses parents m'avaient pas tout dit. Ma mère est venue jusqu'à mon lit pis elle s'est assise. Elle a tassé les vêtements pour que je vienne m'asseoir à côté d'elle. Non, ses parents m'avaient pas tout dit, elle a répondu. Mais c'était pas de leur faute. Ils étaient sous le choc. Je devais essayer de me mettre à leur place. Elle était effrontée de me dire ça pareil, j'ai pensé. Elle m'a expliqué que, le matin, pendant que je dormais encore, le père à Keven lui avait raconté ce qui était arrivé. Elle m'a pris le bras pis elle m'a dit que j'étais assez vieille. Elle avait l'air pas sûre, mais elle a commencé à me le raconter quand même. Keven était revenu du campe vers minuit pis il avait décidé de se préparer des frites. Apparemment qu'il faisait ça souvent quand il rentrait de veiller. Il avait mis les frites dans le four pis il était descendu dans le sous-sol. Le détecteur de fumée avait fini par partir pis sa mère s'était réveillée. Ça sentait le brûlé partout dans la maison. Les frites étaient carbonisées dans le four pis ça s'était mis à boucaner. Elle était descendue en bas pour voir si Keven s'était endormi en oubliant ses frites. Elle avait été dans sa chambre, pis elle avait juste vu une paire de bottes pis son chandail de laine. Elle avait cherché une secousse dans le sous-sol avant de penser à aller voir dans le garage, au cas. C'était là qu'elle l'avait trouvé. Il s'était tiré en bas d'un tabouret. Y avait plein d'outils décrochés partout à terre autour de lui. Keven avait dû essayer de se remonter ou de trouver un appui avec ses pieds le long du mur.

ON EST TOUS allés au salon funéraire pour voir Keven. Même Mélanie était là. Elle avait dû avoir une permission spéciale de ses parents. Ils devaient se dire que de voir quelqu'un de mort, ça lui servirait de leçon. Remarque que tous nos parents pensaient la même affaire. C'est la drogue qui avait tué Keven. Il aurait jamais fait ça s'il était pas tombé là-dedans. La mess lui avait fait faire une psychose. C'est de la drogue pour les chevaux, quand même. C'est fort pis ça va direct au cerveau. Même que ça peut faire des trous dedans. Le policier qui était venu nous parler des drogues à l'école, une fois, nous l'avait dit. Quand j'avais entendu ça, j'avais compris pourquoi j'avais une narine plus mince que l'autre. C'était à cause de la mess. C'est logique, au fond, si le PC peut faire fondre du plastique, c'est certain que ça peut faire fondre une narine, trouer le cerveau ou rendre quelqu'un fou pis le pousser à se pendre.

Juste avant d'aller au corps, on s'est réunis au parc Rosaire-Gauthier avec Fred, Marie-Ève, Pascal pis Mélanie. Y avait personne d'autre, juste nous cinq. Fred avait apporté son stéréo, des chips au vinaigre pis de la Molson xxx. On a mis le dernier CD des Wampas. Il venait juste de sortir pis Keven l'écoutait tout le temps. On a mis *Trop précieux* pis on a fait de la mess. Fred avait gardé sa plogue de PC vert pis il brassait rien qu'avec ça, astheure. Marie-Ève a fait des tracks à Keven comme s'il était encore là. Quand on a eu tout sniffé les nôtres, on a soufflé celles à Keven dans le vent. Après, on a décidé de pas parler pendant cinq minutes. Y avait plus de neige pantoute par terre pis il commençait à faire vraiment chaud. Les corneilles nous tournaient autour avec leurs grandes ailes pis leurs cris de mort. Elles voulaient nos restes de chips. Je l'avais dit aux autres mille fois, de pas les nourrir. Mais tout le monde trouvait ça cute pis leur donnait n'importe quoi. J'étais certaine qu'on allait finir par se faire crever un œil par un de ces osties d'oiseaux-là.

Keven était exposé au Gravel & fils, juste en face du parc. J'étais stone avant de rentrer dans le salon pis je voulais pas voir ses parents. J'avais peur de me mettre à brailler. Son père était assis dans les marches à l'entrée de la bâtisse. Il fumait une cigarette pis il avait un petit signet avec la face à Keven dessus qui dépassait de la poche de son veston. Quand il m'a vue, il s'est levé, pis il a marché vers moi dans le stationnement pis il m'a serrée dans ses bras. Il braillait pis j'étais mal à l'aise. Je voulais qu'il me lâche. Je voulais qu'il arrête de pleurer pis qu'il me laisse tranquille. Au lieu de ça, il a pris ma main pis il m'a emmenée voir Keven.

J'ai sursauté quand on est arrivés dans la salle où il était exposé. Il était allongé dans un cercueil blanc avec des anges gravés sur les côtés. Partout autour de lui, y avait des corbeilles de fleurs qui sentaient le lys jusque dans le hall. Je pensais que le cercueil serait fermé à cause qu'il s'était suicidé. Mais le couvercle était relevé pis y avait pas de marques sur son cou. Avant que je parte pour le salon, ma mère m'avait dit que Keven aurait l'air de dormir. C'était pas vrai pantoute. Personne a l'air empaillé de même en dormant. En plus, Keven avait un habit pis sa face était beurrée de fond de teint. Je me demandais si les croquemorts prenaient du fond de teint à cinq cents piastres comme les maquilleuses à ma mère pour cacher les marques de pendu.

Le père à Keven me lâchait pas la main. Je cherchais Marie-Ève, mais je la voyais plus avec Pascal pis les autres. Elle devait être aux toilettes en train de refaire de la mess. J'aurais aimé ça, être avec elle. En même temps, Keven aurait trouvé ça poche que je me gèle devant son père.

La mère à Keven est apparue à la tête du cercueil. Elle avait les yeux rouges, mais elle pleurait pas. L'hôpital avait dû lui donner des calmants. Elle regardait Keven en flattant ses cheveux pis elle a dit qu'il était beau, son fils. Il aurait capoté parce qu'elle était en train de briser son toupet. Elle avait choisi de lui mettre le bel habit qu'elle lui avait acheté pour le mariage de sa cousine, l'été d'avant. Keven aurait été fâché après. Il haïssait ça, les costumes. Je suis certaine qu'il aurait choisi de porter ses jeans noirs serrés pis son t-shirt des Stooges. Il avait l'air d'un gai, arrangé de même. J'ai quand même dit à sa mère que c'est vrai qu'il était beau.

Le salon funéraire était noir de monde. Vu que la salle était trop petite pour recevoir toute la ville, le directeur du salon avait ouvert l'autre à côté. Mais vers le milieu de l'après-midi, c'était tellement plein que ça faisait la file dehors pour rentrer.

Toute la poly était là. Même le directeur pis les profs étaient venus. Gaétan aussi. Je suis restée longtemps à côté de Keven, avec son père pis sa mère. Les gens venaient nous offrir leurs sympathies. Quand ils arrivaient à moi, ils me serraient dans leurs bras pis ils me disaient des affaires lourdes que j'avais pas envie d'entendre. Je priais pour que ça finisse. J'aurais voulu être toute seule avec Keven pis j'étais certaine que lui aussi aurait voulu ça.

À un moment donné, j'ai vu mon père dans le hall d'entrée, accoté sur le cadre de porte du columbarium. Ça me surprenait qu'il soit là. C'était pas son genre, les salons funéraires pis le braillage. Ma mère, elle, était pas venue. Elle avait peur des morts. Mon père est resté planté là un bon quinze minutes. La mère à Marie-Ève était allée le rejoindre pis ils ont commencé à se dire des affaires en regardant vers moi. Mon père était habillé comme quand il allait au bureau pis il venait de se faire couper les cheveux. Je savais que les cendres de sa mère étaient exposées dans le columbarium, mais il avait pas l'air de vouloir y aller. Il l'haïssait encore pis je l'avais entendu la traiter de psychopathe toute ma vie. Ça s'était même pas arrangé quand elle avait eu le cancer de la vessie. Mon père m'avait raconté que, la dernière fois qu'il l'avait vue à l'hôpital, elle lui avait reproché d'être en retard pis de pas s'être rasé. Je sais qu'il était allé la voir avec l'idée de se réconcilier avec elle. Mais elle avait tellement été désagréable que mon père avait pas été capable. Il était reparti de l'hôpital en lui disant qu'elle lui reverrait pas la face avant de mourir.

J'avais peur que mon père le dise à la mère de Marie-Ève, pour la mess. Elle était pas mal moins fish que la mienne, pis Marie-Ève aurait pas de deuxième chance, ce serait le pensionnat de Dolbeau direct. Sa mère s'est mise à pleurer. Je savais que mon père savait plus où se mettre. Elle a sorti un kleenex de sa sacoche pis elle a commencé à s'éponger les yeux. Mon père lui a donné deux trois petites tapes sur l'épaule pis il est allé se placer dans la file pour les condoléances. Marie-Ève, Fred, Mélanie pis Pascal étaient assis sur des chaises au fond du salon pis ils essayaient de se consoler les uns les autres. J'aurais tellement tout donné pour que ça soit juste un mauvais rêve, pis qu'on se réveille tous au parc Rosaire-Gauthier avec Keven. Cette année, le printemps serait arrivé plus tôt que d'habitude pis on aurait pris des gageures sur la date à laquelle le lac Saint-Jean allait caler. J'aurais été au trou avec Keven pis il m'aurait demandé d'allumer le feu. Ma mère l'aurait peut-être même invité à passer une fin de semaine au chalet. Il aurait aidé Paul à réparer le quai flottant pis à remettre le ponton à l'eau. Mon père aurait trouvé que c'était un bon petit gars. Il serait venu à mon souper de fête pis il m'aurait donné le cadeau le plus malade pis il aurait jamais été mort. Les gens défilaient pour nous offrir leurs sympathies, ils disaient toujours pas mal les mêmes affaires, le temps allait arranger les choses, ils seraient là pour nous si on avait besoin de parler, ça avait pas de bon sens, mourir aussi jeune. Je savais pas quoi répondre pis je trouvais que ça avait pas rapport que je sois là avec ses parents, mais le père à Keven me lâchait pas la main, tellement qu'elle commençait à s'engourdir.

Quand ça a été le tour à mon père, il m'a dit qu'il était désolé. Je me suis mise à brailler. C'était plus fort que moi. J'avais de la misère à respirer pis j'avais le goût de vomir. Mon père m'a serrée dans ses bras pis il m'a demandé tout bas si je voulais sortir prendre l'air. La mère à Keven s'est mise à pleurer elle avec. Marie-Ève aussi. Je pense qu'à ce moment-là, tout le monde pleurait dans la salle. Mais moi je braillais tellement fort que le directeur du salon est venu me chercher pour m'emmener dans une petite pièce à part. Mon père m'a dit que, si j'avais besoin de lui, il serait dans le hall. Le directeur a refermé le gros rideau de velours gris pis il m'a laissée dans l'espèce de boudoir. Y avait un divan fleuri, une petite table pis une boîte de kleenex. Je me suis assise sur le divan pis j'ai essayé de me calmer. Marie-Ève est venue me rejoindre pis on a pleuré dans les bras l'une de l'autre jusqu'à ce que mon père pis sa mère viennent nous chercher. Le salon fermerait dans vingt minutes.

Je voulais pas m'en aller tout de suite. Fallait que je retourne voir Keven pour lui parler une dernière fois. J'avais vu son petit doigt bouger, j'étais sûre. Il était peut-être pas vraiment mort mort. J'avais déjà vu dans une émission à Canal D que des fois les médecins se trompaient. C'était arrivé à une femme, aux États-Unis. Les médecins l'avaient déclarée morte pis elle s'était réveillée dans un tiroir à la morgue. C'est un des concierges de l'hôpital qui l'avait sortie de là parce qu'il l'avait entendue varger de toutes ses forces. Keven virerait fou, s'il se réveillait embarré dans un tiroir. Là, il mourrait pour de vrai.

Mon père m'a prise par les épaules pour essayer de me convaincre qu'on devait s'en aller. Je lui ai crié qu'il était juste un sans-cœur. Je lui ai dit de me crisser patience. Il était jamais là quand j'avais besoin de lui, de toute façon. Qu'il retourne donc chez sa greluche. Je marcherais jusque chez nous toute seule. Mon père a dit qu'on reviendrait le voir, mon chum. On est sortis du boudoir. Il restait presque plus personne, dans le salon. Mon père a mis son bras autour de mes épaules pour que j'avance. Dehors, le monde parlait pis fumait en petites gangs dans le stationnement. On a pas eu le temps de faire trois pas vers le pick-up que le directeur du salon nous rejoignait avec ma sacoche. Je l'avais oubliée sur le divan. Il est rentré pis, quand je l'ai vu barrer la porte de la bâtisse, j'ai pas été capable, je me suis remise à brailler comme une hystérique.

Tout le monde s'est retourné. Mon père m'a dit de pas m'occuper d'eux autres. La mère de Keven me regardait. Elle avait l'air de vouloir me dire de quoi, mais elle a pas parlé quand je suis passée à côté d'elle. Mon père m'a fait monter dans le pick-up pis il a attaché ma ceinture. Il a contourné le truck, il s'est assis pis il a parti le moteur. Il m'a demandé si je voulais aller manger en quelque part avant qu'il vienne me porter chez nous. J'avais pas faim.

Ma mère m'attendait dans l'entrée du condo. Mon père lui a dit que ce serait mieux que je me repose. Elle l'a remercié d'être allé au corps avec moi pis on est rentrées en dedans. Je pleurais encore un peu pis j'ai dit à ma mère que Keven était peut-être pas mort. Elle m'a demandé si j'avais pris de quoi. J'ai dit que non. Elle avait pas l'air de me croire. Je me suis couchée dans le divan pis elle est allée dans sa chambre. Je l'ai entendue appeler le Centre antipoison pour savoir si elle pouvait me donner une pilule pour dormir même si j'avais pris de la drogue. Non, elle savait pas ce que j'avais pris, elle a dit au téléphone. C'était peut-être du PCP, mais elle était pas certaine. Elle a raccroché pis elle est revenue avec un petit flacon de plastique. Ils disent que c'est correct, elle m'a chuchoté, en me donnant une pilule verte. J'avais peur de prendre ça. D'un coup que j'overdosais ou que le comprimé me brûlait toutes les cellules.

Je me suis couchée sur les genoux de ma mère pis on a regardé un film qui passait à la TV. Je me rappelle pas c'était quoi, par exemple, parce que le somnifère rentrait au poste. Ma mère sentait bonne pis sa robe de chambre était douce comme du poil de chaton. Je la laissais me jouer dans les cheveux pis je me repassais la soirée au campe dans ma tête. J'en revenais pas qu'on se soit aperçus de rien. J'arrêtais pas de me dire que, pendant que je me gelais la face avec Marie-Ève, Keven était en train d'essayer de se remonter. Je le voyais paniquer quand il avait compris qu'il serait pas capable pis qu'il allait mourir au bout de sa corde. Peut-être aussi qu'il s'en était pas rendu compte pis qu'il avait perdu connaissance sans trop souffrir. Je voulais que ça soit ça. Je me demandais s'il avait pensé à moi, avant. Je me suis endormie, la tête sur les cuisses de ma mère, pis j'ai rêvé à rien.

LA SECTION DES FILMS d'horreur était juste à côté de celle des films de cul pis, pendant que je cherchais *Cannibal Ferox*, j'ai vu un gars passer les portes battantes qui séparent les films trois x des films normals. Je savais c'était qui. Keven m'en avait déjà parlé. C'était le gros Stéphane. Le monde en ville disaient qu'il était pas fin fin pis ils l'appelaient Fefane. Il avait manqué d'air à la naissance pis, à cause de ça, il était devenu mongol. Le gros Stéphane ressemblait à un Viking avec ses cheveux blonds tout mêlés pis ses six pieds quatre. Tous les commis du Servidéo le connaissaient parce qu'il venait se louer des films de cul quasiment chaque jour. Keven m'avait raconté qu'un commis l'avait pogné à se masturber, une fois. Il avait spermé sur la pochette d'un film de Jenna Jameson. Le commis l'avait chicané pis il lui avait dit que, s'il le repognait à se douner dans le club, il allait le barrer à vie. Il avait pas appelé la police ni rien. Le gros Stéphane avait la maturité d'un enfant de trois ans. Le monde avait pitié de lui pis ils le laissaient tranquille tant qu'il se mettait pas dans le trouble. Le gros Stéphane est ressorti de la section au bout de deux minutes avec trois cassettes. Il m'a regardée pis il m'a fait un grand sourire niaiseux. Il m'a dit qu'ils annonçaient vingt-deux degrés aujourd'hui. J'ai pas su quoi répondre. J'avais jamais parlé avec un handicapé. J'ai continué à chercher mon film pis j'imagine que le gros Stéphane est reparti se crosser chez eux.

J'étais pas revenue au Servidéo depuis la fois d'*Octobre Rouge,* avec mon père, pis je comprenais rien à comment ils classaient leurs films. Je veux dire, les *Vendredi 13* étaient mélangés avec les *Halloween.* Il leur manquait des *Freddy* pis j'ai vu aucun *Chucky* nulle part. Par contre, y avait beaucoup de films avec des pochettes épeurantes que j'avais jamais écoutés encore. Je me disais que je me louerais *Eraserhead* avec Marie-Ève une autre fois. Je voyais pas les pochettes de *Cannibal Ferox* ni de *Cannibal Holocaust.* Je me suis tannée pis je suis allée demander au commis.

Il était tout seul à la caisse pis il faisait le ménage dans ses retours. C'était un grand maigre avec un t-shirt de Megadeth pis des bracelets de cuir. Je lui ai dit que je trouvais pas *Cannibal Ferox.* C'est normal, il m'a répondu. Il le plaçait pas avec les autres films dans la section des films d'horreur parce qu'ils avaient eu des plaintes. Il le gardait en arrière du comptoir, mais il pouvait pas me le louer, par exemple. Il était réservé pour quelqu'un d'autre. Je lui ai dit que je le savais pis que c'était correct, que Keven m'avait dit que je pouvais venir le chercher. Le gars m'a regardée bizarre pis il a hésité pendant environ dix secondes, avant de se pencher pour prendre la cassette. En se relevant, il m'a demandé si j'étais au courant que ce film-là, c'était quand même hardcore. J'ai dit que oui, pis que j'avais écouté *Cannibal Holocaust*. Le gars a eu l'air d'astucer que j'étais pas une pisseuse, pis il a mis le film dans un sac de plastique blanc avec Servidéo marqué en bleu dessus. Il s'est repenché pour fouiller en dessous du comptoir. Il a sorti trois autres films pis il les a mis dans le sac sans me montrer c'était quoi. Il m'a tendu le sac pis il m'a dit que, pour moi, ça serait gratis pis que, dans le sac, y avait des films que j'aimerais. J'ai dit merci pis je suis sortie dehors avec mon sac. C'est vrai qu'il faisait chaud, pis il était même pas encore midi.

J'ÉTAIS COUCHÉE dans mon lit pis le téléphone a sonné. J'avais pas le goût de me lever même s'il était rendu neuf heures. J'étais réveillée depuis un petit bout pis je pensais à la poly. Ça devait faire un mois que j'étais pas allée. Marie-Ève m'avait dit que le monde se demandait comment j'allais pis y en avait qui disaient que j'utilisais la mort de Keven pour avoir des passe-droits pis rester chez nous à me pogner le cul. Ma mère avait parlé avec le directeur. Ils s'étaient entendus pour que je finisse mon année à la maison, je me présenterais juste aux examens. J'étais contente parce que ça m'aurait pas tenté de croiser le monde pis leurs questions. Déjà que chaque fois que je rencontrais quelqu'un que je connaissais, il me demandait pourquoi Keven s'était suicidé. Est-ce qu'il y avait eu des signes ? Est-ce qu'il avait laissé une lettre ?

C'était mon père au téléphone. Il m'invitait à déjeuner au Café Mont-Royal. Fallait qu'on ait une conversation. J'ai dit OK. C'est pas comme si j'avais le choix, avec mon père. En plus, j'avais faim, pis ça faisait longtemps que j'avais pas mangé du bacon. Je prenais souvent de la mess le matin, ça fait que je déjeunais jamais. Mais là, j'en avais plus. En me levant, je suis quand même allée voir dans ma bibliothèque, au cas où j'aurais oublié un reste. Des fois, j'en cachais dans *Christiane F.* ou *La vallée des chevaux.* Mais j'ai pas trouvé rien.

Au restaurant, j'ai pris le spécial du jobbeur. J'avais pas revu mon père depuis le salon pis il avait l'air en forme. J'ai tout mangé sauf les bines. Elles étaient aux tomates pis c'est dégueulasse. Je lui ai demandé était où, Johanne. Mon père a dit qu'elle était partie dans un spa avec une de ses amies. C'était une affaire de chaman à La Malbaie. Elle couchait toute la semaine dans une cabane dans le bois pour voir son totem. Mon père comprenait pas trop la patente. Tout ce qu'il savait, c'est que ça coûtait pas mal cher, aller là-bas.

Il voulait savoir si j'aimerais ça, passer du temps de qualité avec lui. Je me suis retenue de rire. Il parlait comme un dépliant. On pourrait aller à la pêche tous les deux une fin de semaine. Il était disponible en juillet. On irait au lac à Joe Dalle. J'ai dû faire une drôle de face parce que mon père a enchaîné en disant que c'était peut-être parce qu'on passait jamais de temps ensemble que je consommais de la drogue. Ostie qu'il se pensait bon. J'ai expliqué à mon père que je prenais plus de drogue pantoute. Avec ce qui était arrivé à Keven, j'avais peur de ça, astheure. Il a eu l'air satisfait. Il m'a fait jurer de jamais retoucher à cette scrap-là. Après, il a appelé la serveuse pis elle est venue à notre table pour savoir si on avait besoin de quelque chose. Ses œufs étaient trop cuits en dessous, il lui a dit, mais il avait pas le temps que le cuisinier lui en prépare d'autres. On était pressés pis il voulait sa facture. Il a laissé le montant flush des déjeuners sur la table pis on est partis. Moi je pensais que le déjeuner durerait plus longtemps que ça. J'ai lu dans ma chambre le reste de l'après-midi.

Le soir, ma mère avait organisé un souper au condo avec Paul. J'avais invité Marie-Ève parce qu'on mangerait de la fondue chinoise. Sur la table, y avait des lanières de bœuf, des cubes de poulet, des crevettes tigrées pis des pétoncles géants. J'ai pensé que c'était Paul qui les avait achetés. Ma mère était pas forte sur les fruits de mer. Moi pis Marie-Ève on s'est bourré la face dans les crevettes. J'ai même repris une deuxième patate au four. Marie-Ève racontait qu'elle avait hâte aux vacances d'été. Elle s'en allait aux États-Unis avec ses parents. Moi, ma mère pis Paul on a pas dit grand-chose sauf que la sauce du diable était un peu trop piquante pis que ça serait plaisant d'aller aux glissades d'eau au mois d'août. Après le dessert, j'ai demandé à ma mère si je pouvais aller coucher chez Marie-Ève. On écouterait des films pis on s'endormirait pas trop tard. Son père avait déjà dit oui pis il viendrait nous chercher vers huit heures. Ma mère a fait oui de la tête, mais avant, elle avait quelque chose à m'annoncer. À la fin de l'été, on déménagerait chez Paul. Il avait une belle grande maison à Chicoutimi-Nord, proche de la croix de Sainte-Anne. J'aurais une grande chambre pour moi toute seule. Je pourrais même peinturer un mur noir si je voulais. Mais pas plus qu'un. Paul a dit qu'on serait bien, mais que les règlements seraient pas lousses comme chez ma mère. Faudrait que je me rapporte régulièrement pis que je rentre avant minuit. Je devrais travailler ma politesse pis aider avec le ménage. Pis y avait la drogue. Si jamais il en trouvait ou s'il soupçonnait juste que j'étais en train de retomber là-dedans, c'était l'Institut direct. J'ai dit que je touchais plus à ça, pis j'ai demandé si on pouvait sortir de table pis aller dans ma chambre en attendant que le père à Marie-Ève vienne nous chercher. Ma mère a dit que c'était beau, elle pis Paul desserviraient.

Dans ma chambre, Marie-Ève m'a dit qu'elle avait un cadeau pour moi. Elle a sorti deux buvards de sa sacoche. On les a gobés pis on a appelé son père pour qu'il s'en vienne. On voulait pas que le buvard monte pendant qu'on était au condo. Son père pouvait pas venir tout de suite parce qu'il était en train de finir de regarder un film de suspense avec sa mère. J'ai dit à Marie-Ève qu'on avait juste à écouter de la musique en l'attendant. J'ai mis une des cassettes à Keven. La première toune, c'était « Space Oddity ». Ça m'a rendue down un peu. Marie-Ève m'a demandé si je pensais à Keven. Oui. Elle comprenait pas elle non plus ce qui lui avait pris. Tout le monde l'aimait. On a pas parlé du reste de la toune. Y avait quasiment rien que du David Bowie sur le mix, mais ça nous dérangeait pas. Je commençais à être stone pis Marie-Ève bougeait pas comme d'habitude. Ses pupilles étaient dilatées, aussi. Elle avait des yeux de chouette. Je lui ai dit que son buvard était bon en maudit. On s'est assises sur le plancher pis on a commencé à rire parce que Marie-Ève trouvait que c'était bizarre, la façon dont j'avais prononcé maudit. Je me suis mise à déconner pis à dire n'importe quoi en articulant abusivement chacune de mes syllabes. Marie-Ève faisait la même chose pis elle disait que ça serait cool si ça existait, des chips aux fleurs. Je pense qu'on a niaisé de même une bonne heure avant que ma mère rentre dans ma chambre. Le père à Marie-Ève était à la porte pis il nous attendait. Elle a vu tout de suite qu'on avait pris de quoi. Elle a dit à Marie-Ève de s'en retourner chez eux sans moi pis elle m'a envoyée me coucher. On se reparlerait demain matin de ce que je venais de faire. Là, elle était trop fâchée pour avoir une discussion. Marie-Ève s'est dépêchée de partir.

Je me suis endormie vers six heures du matin à cause du buvard pis je me suis réveillée vers onze. Quand je suis sortie de ma chambre pour aller à la salle de bain, ma mère pis son chum étaient assis à la table de la cuisine avec la même police qui était venue nous parler des drogues à la poly au début de l'année. Martial Bédard, son nom. Ma mère m'a dit que Paul pis elle sortaient prendre une marche. Le monsieur avait des choses à me dire. J'ai soupiré pis j'ai attendu qu'il me fasse son speech.

Martial a sorti d'une mallette des photos avec Fred dessus. On le voyait en train de vendre de la drogue au termi. On me voyait aussi en train d'en acheter. Fuck. Y avait même une photo de Marie-Ève, Pascal pis moi en train de sniffer en arrière du Monsieur Hotdog. Pis une photo de Keven en avant de la Galax. Ça m'a rendue triste. Il était tellement beau avec sa tuque noire, ses grands yeux pis sa froque de cuir. Martial m'a demandé si je me doutais de la raison de sa venue. J'ai pas répondu. J'étais faite, j'ai pensé. C'était clair dans ma tête que je m'en allais direct à l'Institut. Martial a dit que moi pis mes amis on était fichés. Il nous surveillait depuis la fin de l'automne pis il savait tout ce qu'on tramait. Il m'a demandé pourquoi je me tenais avec des tout croches pis pourquoi je gâchais ma vie en prenant des drogues dures. Le monde là-dessus finissait jamais bien. J'étais une belle grande fille intelligente. J'avais des bons parents. Il comprenait pas. Mais si je voulais, je pouvais encore m'en sortir. Il m'aiderait. Y avait des programmes pour les jeunes aux prises avec des problèmes de consommation. Il avait parti sa cassette, lui là.

J'ai regardé Martial drette dans les yeux pis je lui ai dit que lui, il avait bien viré même si c'était le plus gros vendeur d'acide à Chicoutimi dans les années soixante-dix. Je le savais parce que le père à Keven nous l'avait déjà dit. Il avait une couple de bières dans le nez pis c'était sorti tout seul. Il nous avait fait jurer de jamais le dire à personne. Martial Bédard m'a répondu que c'était des menteries, cette rumeur-là. Mais je savais qu'il s'était mis à paniquer parce qu'il a remballé ses photos pis il s'est levé pour partir. J'étais certaine qu'il dirait à ma mère qu'on s'était compris. Il lui raconterait qu'il m'avait fait une bonne peur, pis que j'allais marcher droit, dans le futur. Ma mère pis son chum sont revenus pas longtemps après son départ. Paul avait l'air en crisse. Il m'a pas adressé la parole du reste de la journée. Le soir, quand il a été parti, ma mère est venue me voir dans ma chambre. J'avais reperdu sa confiance. Je sortirais pas de l'été. J'aurais même pas le droit de voir Marie-Ève. C'était une mauvaise influence, de toute façon. Mon père viendrait me chercher à ma fête pour qu'on aille à la pêche une couple de jours. C'était tout. Pour le reste, on ferait des activités en famille avec son Paul. Il venait d'acheter un gros bateau pour son chalet. J'apprendrais le ski nautique. J'irais à des rendez-vous avec une travailleuse sociale spécialisée en toxicomanie. C'était ça ou c'est vrai qu'elle me rentrait à l'Institut. Les rendez-vous commenceraient pas avant la fin août, par exemple. La travailleuse sociale pouvait pas me prendre avant. J'étais safe pour un bout. Mais l'été serait long en prêtre.

MON PÈRE est venu me chercher en pick-up le jour de ma fête. Il s'est stationné devant le condo pis il a klaxonné trois petits coups. Il m'avait dit la veille qu'il m'attendrait dans le truck. Lui pis ma mère s'entendaient beaucoup mieux s'ils se croisaient jamais, pis il voyait pas de raisons de changer ça. Il savait que ma mère serait au condo, elle était en vacances comme lui jusqu'à la première semaine d'août. J'avais préparé mon sac à dos après dîner, ça fait que j'étais prête. C'était aussi ben, parce que mon père haïssait ça, attendre après moi quand on montait dans le bois. Ma mère m'a souhaité bonne fête encore pis elle m'a dit de lui ramener des grosses truites. Un des amis à mon père avait un chalet en bas du lac à Joe Dalle pis il nous le prêtait pour une couple de jours.

Le ciel était nuageux, ils annonçaient de la pluie, mais ça nous dérangeait pas, mon père pis moi. Sur la route, on a croisé beaucoup de pick-up avec des cha-loupes dans leurs boîtes. C'était toujours de même pendant les vacances de la construction, les Monts se remplissaient. Je me rappelle qu'en sortant de la ville, je m'étais mise à stresser parce que je passerais trois jours avec mon père pis que j'avais jamais été toute seule avec aussi longtemps. J'essayais de trouver des sujets de conversation dans ma tête. On pourrait parler de l'école. À l'automne, je serais transférée dans une classe enrichie. On pourrait parler de films, aussi. Je savais que mon père avait aimé *La dernière maison sur la gauche* pis je l'avais écouté la semaine d'avant. Je savais aussi que je voulais pas parler de Keven.

On s'est parkés devant le chalet sous la pluie bat-tante vers l'heure du souper. C'était un chalet en bois rond avec un toit en tôle. L'ami à mon père l'avait bâti à cinquante pieds d'un lac que j'ai oublié le nom, pis il avait pas acheté de génératrice. On s'éclairerait au fanal pis on cuisinerait sur un petit poêle au butane pis sur le barbecue. On garderait la nourriture dans des glacières Coleman bleu poudre. Mon père en avait emporté deux, une pour la bière, le lait, le jus pis la liqueur, pis une pour la bouffe. On est rentrés pis j'ai vu qu'il y avait une seule pièce, avec un lit à deux étages accoté le long d'un mur. J'ai demandé à mon père si je pouvais dormir dans le lit du haut. Il m'a répondu que, vu que c'était ma fête, je pouvais dormir où je voulais. Les meubles, c'était une table à cartes, deux chaises pis une banquette de bois pour s'asseoir, pis rien d'autre.

La banquette ressemblait à un banc d'église. Les chaises avaient été recouvertes avec du plastique fleuri jaune.

Ce soir-là, il a plu sans discontinuer, ça fait qu'on est pas sortis sur le lac. Mon père m'a préparé des boulettes de suif. C'était sa recette secrète pis il en cuisinait tout le temps dans le bois quand j'étais petite. J'avais pas le droit de savoir ce qu'il mettait dans le steak haché pour que ça goûte bon de même. Je sais quand même qu'il y avait trois sortes de sauces, de la Diana, de la Bull's-Eye pis de la HP, des piments verts pis un gros oignon espagnol. Mon père a fait cuire les boulettes sur le barbecue même s'il pleuvait. Sinon, le chalet empesterait, il m'avait dit. J'ai mangé deux grosses boulettes de suif pis je suis allée me coucher pas longtemps après, tellement j'étais fatiguée. Dans mon lit, j'entendais mon père qui montait pis démontait nos cannes à pêche en se demandant quelles trôles seraient les meilleures pour le lac à Joe Dalle. Ça me dérangeait pas que le chalet soit minuscule pis à date ça se passait mieux que je l'avais imaginé avec mon père.

La seule affaire, c'est qu'il fallait sortir pisser pis chier dehors dans une bécosse. Ça sentait le crisse là-dedans pis y avait plein de petits scarabées noirs pis rouges qui se promenaient sur la marde au fond du trou. J'arrêtais pas de jeter de la chaux sur eux autres, mais ça avait pas l'air de les déranger. Ils continuaient à se promener pis à manger nos crottes. Ça m'écœurait tellement que je m'étais retenue le plus longtemps possible avant de retourner aux toilettes après souper. Mon père trouvait ça drôle pis il avait ri de moi en me chantant une chanson de scarabées bouffe-cul qui mangent la raie du monde toute crue. C'était rare que je le voyais de bonne humeur de même.

J'ai réussi à bien dormir malgré la pluie qui tombait de toutes ses forces sur le toit de tôle. Quand je me suis levée, mon père était en train de préparer le déjeuner. Il portait ses culottes de bois kaki pis il avait ses vieilles bottes à cap dans les pieds. Il m'a dit que ça avait tombé toute la nuit. On s'est assis face à face pour manger nos œufs. Il s'était même forcé pour me faire du bacon dans une assiette d'aluminium, même s'il en mangeait pas, lui. Il m'a expliqué que le lac à Joe Dalle était un lac de soir. Y aurait pas moyen de pogner une truite là avant huit heures. Pour y aller, on monterait la montagne, de l'autre bord du lac où on était. On a joué aux cartes pis aux dés pendant une partie de l'après-midi. J'ai lu *Cujo* une heure ou deux pis j'ai fait une sieste. On a mangé des hot-dogs pour souper. Vers sept heures, même si ça tombait encore, on s'est habillés, on a pris nos grée-ments pis on est sortis. Il pleuvait moins fort que dans l'après-midi pis on avait des imperméables jaunes. Ça mord plus quand il pleut, de toute façon. On est des-cendus au lac pis on a embarqué dans la chaloupe. Mon père avait installé le moteur avant le souper, ça fait qu'on s'est assis sur nos flottes pis on est partis. Pen-dant qu'on traversait le lac, je pensais à Marie-Ève. Je me demandais s'il faisait aussi laitte à Cape Cod qu'au Saguenay, si elle mangeait du homard en masse pis si elle me ramènerait un souvenir.

Quand on a été rendus de l'autre côté, mon père a dit qu'on avait environ trente minutes de marche à faire avant d'arriver au lac à Joe Dalle. Mon père a pris les rames pis le sac à dos pis il m'a demandé de m'occuper des cannes pis du moteur. On a commencé à monter dans la trail le long d'un ruisseau qui descendait de la montagne. C'était l'heure des mouches, la trail était à pic pis y avait mille osties de brûlots qui me silaient dans les oreilles pis qui essayaient de me manger la tête. Le hors-bord pesait cent livres, je me disais que j'allais mourir, pis les cannes à pêche arrêtaient pas de se pogner dans les épinettes. Crisse que je l'haïssais, cette trail-là. Je suis arrivée en haut brûlée avec mon père qui me traitait de tapette. J'avais plus le goût de pêcher rien.

Au débarcadère du lac, mon père s'est mis à sacrer parce qu'il trouvait plus la clé pour débarrer le cadenas de la chaîne de la chaloupe. Il l'a trouvée au bout de dix minutes de sacrage, dans le fin fond de son coffre à pêche, pis on a pu descendre le bateau sur le lac. J'ai demandé à mon père si je pouvais allumer ma flashlight parce qu'il y avait presque pas de lune ce soir-là. Mon père a dit oui, mais que je devrais l'éteindre quand on serait au spot. C'est interdit de pêcher au fanal, c'est pour ça.

Mon père a sorti les deux flottes d'en dessous du gros banc de la chaloupe, on s'est assis dessus pis on a ramé jusqu'à ce que ce soit assez creux pour partir le moteur. Mon père a mis le pied du moteur dans l'eau, il l'a starté pis il nous a enlignés jusqu'à la passe du lac.

Arrivé à son spot, il a arrêté le moteur pis il a garroché l'ancre à l'eau. Mon père a dit qu'il y avait environ cinquante pieds d'eau à gauche de la chaloupe, mais que ça remontait vraiment vite à notre droite. Fallait que je lance ma ligne vers le bord pis que je la ramène assez vite si je voulais pas m'accrocher au fond. Je me suis appâtée pis j'ai lancé une fois. J'ai trouvé ma trôle trop lourde pour pêcher dans pas creux de même. J'ai demandé à mon père si je pouvais la changer. Il a approché le coffre à pêche de moi avec son pied pis j'ai choisi une Toronto Wobbler. Avec cette trôle-là, ça mordrait, j'étais sûre.

On a ben dû pêcher pendant une heure sans rien dire. On lançait, on reelait. Même s'il pleuvait fort pis que j'avais les mains pis les genoux mouillés, j'étais bien, je pensais pas. Mon père s'est ouvert une bière, il a bu une longue gorgée pis il a déposé la canette sur le banc à côté de lui. Pendant que je ramenais ma ligne, il m'a demandé si j'aimais ça, habiter au condo. Je savais pas quoi lui répondre. C'était peut-être une question piège. J'ai dit que oui, mais qu'on déménagerait chez Paul à la fin de l'été pis que ça faisait pas mon affaire. Mon père a pas répondu tout de suite. Il a ouvert le coffre à pêche. Il avait changé de trôle lui avec une demi-heure avant, mais il s'est mis à défaire sa ligne pis à la remonter avec un nouvel hameçon. Il a choisi celui avec la mouche que je lui avais offert le jour de ses quarante ans. J'avais décidé d'apprendre à fabriquer mes propres mouches. J'avais dix ans, à l'époque. C'est mon père qui m'avait montré comment. Je lui avais donné une imitation d'éphémère pis cette bibitte-là était parfaite pour la pêche de soir. Mais il a pas plus pogné de quoi avec.

Il s'en venait tard, il devait approcher dix heures, pis on reviendrait bredouilles. Mon père m'a expliqué que c'est parce que le lac était rendu trop haut. D'habitude, y avait trois grosses roches qui sortaient de l'eau par là-bas pas loin de la décharge, mais à soir elles étaient sous le niveau du lac. Il avait jamais vu ça en quarante ans qu'il pêchait sur les Monts, un lac haut de même. Il a commencé à serrer sa canne. J'ai ramené ma ligne pis j'ai fait comme lui. J'étais surprise qu'il soit pas fâché d'avoir rien pogné. Avant de partir le moteur, il m'a dit qu'il devait me parler de quelque chose. Sa blonde déménageait chez eux. Johanne pis lui, ils avaient décidé de fermer le sous-sol de la maison pis de le rénover pour que ce soit un petit quatre et demie avec une sortie indépendante. Sa blonde trouvait la maison trop grande pis elle disait que ça serait une bonne idée de construire un loyer en bas pis de m'installer dedans quand je serais plus vieille. Ça nous rapprocherait, elle pensait. Mon père m'a souri pis il m'a dit qu'à quinze ans, il trouvait que j'étais assez vieille pour habiter dans l'appartement. En plus, avec tout ce que j'avais vécu au printemps, j'avais maturé plus vite. Évidemment, il serait pas loin pis il me surveillerait. Mes notes devaient continuer à être bonnes. Mais si ça me tentait, je pouvais déménager en bas au mois d'août, dès que les rénos seraient terminées. Comme ça, je recommencerais l'école déjà chez nous. Il me donnerait une allocation chaque semaine pis je payerais mon épicerie pis mes petites dépenses. Le chauffage, le téléphone pis l'électricité, c'est lui qui s'en occuperait. J'en revenais pas. C'était l'idée la plus cool de l'univers. J'ai dit à mon père que ma mère voudrait jamais. Il m'a répondu de le laisser s'arranger avec elle pis il a parti le moteur.

Au débarcadère, il faisait noir comme dans le cul d'un ours. Mon père a tiré la chaloupe sur les billots. Juste avant de descendre la trail, il m'a demandé si je savais pourquoi le lac s'appelait le lac à Joe Dalle. Je le savais pas. Il a commencé à me raconter l'histoire de Joe Dalle. Le lac avait été baptisé de même parce qu'il y avait un mort au fond. C'était un espèce de motard qui devait trop d'argent à un shylock de Jonquière. Mon père a dit que les gars qui travaillaient pour le shylock l'avaient passé direct à la décharge du lac, drette où on était tantôt. Ils l'avaient attaché après une dalle en béton pis ils l'avaient crissé à l'eau. Personne avait jamais retrouvé le corps pis les enquêteurs de la SQ sont jamais montés en haut pour chercher parce que ça a l'air que le shylock les avait graissés ben comme il faut. Mon père a arrêté de marcher pis il a pointé. Il a dit que, si on regardait bien, on voyait la dalle au fond de la décharge, à condition que le lac soit bas pis qu'il fasse soleil. Là, à cause que c'était le soir pis qu'il mouillait, on pouvait pas la voir.

Je me rappelle que je m'étais mise à avoir la chienne. On avait commencé à descendre pis y avait tellement d'eau pis de bouette qui coulaient dans la trail que c'était comme si elle descendait plus vite que nous autres. En marchant, j'arrêtais pas de penser au gars au fond du lac. D'un coup qu'il hantait le bois autour pis la trail, j'ai dit à mon père. Il a ri pis il a répondu que ça se pouvait. Il avait déjà entendu le propriétaire du chalet dans lequel on couchait en parler. Paraissait qu'il avait déjà vu un gars bizarre se promener dans le sentier où on était. Mon père le savait que j'avais peur des esprits pis des fantômes. Il faisait exprès pour me faire peur. Je le savais qu'il me niaisait, mais je sais pas pourquoi, j'ai paniqué quand même. Je me suis mise à descendre plus vite, je courais presque dans la trail. Mon père criait en arrière de moi. Il avait peur que je glisse pis que je me fasse mal.

En arrivant au chalet, je braillais pis j'étais bouettée jusqu'aux genoux. J'étais fâchée après lui. Je l'ai traité de fou pis je lui ai dit qu'il était vraiment méchant. Mon père a pas pogné les nerfs. Il m'a dit de me résumer pis vite. J'étais plus une enfant pis fallait que je me comporte comme une adulte astheure pis que j'arrête de m'inventer des histoires. Fallait être une adulte pour vivre toute seule en appartement. Il espérait que je le décevrais pas. Parce que, si je faisais pas attention, je deviendrais comme ma mère pour de vrai. J'ai essayé de rouspéter, mais il m'a dit d'aller me coucher pis qu'il s'occuperait de mettre nos affaires à sécher. J'étais brûlée de toute façon pis j'avais hâte de sortir de mon linge mouillé. Je me suis changée pis je suis montée dans mon lit. J'ai eu de la misère à m'endormir à cause de la pluie qui faisait du barda sur le toit.

Le lendemain matin, mon père avait pas perdu sa bonne humeur. Il nous a fait des œufs pis on les a mangés en regardant dehors. Ça continuait pis on avait l'impression que ça arrêterait plus jamais. On a paqueté pour s'en retourner en ville. Y avait des grosses rigoles pis des flaques géantes autour du truck. Le lac devant le chalet était rendu mauditement haut, lui aussi. Dans le pick-up, mon père a ouvert le radio aussitôt qu'on est partis. C'est là qu'on a su qu'en ville, c'était l'apocalypse. L'animateur disait que la rivière Ha ! Ha ! pis la rivière à Mars avaient débordé à cause des pluies diluviennes des derniers jours. Ce matin-là, les deux rivières avaient retrouvé leur tracé d'origine pis ça avait créé un torrent de bouette qui avait emporté sur son passage toutes les maisons, les ponts pis les routes. La ville de La Baie était à moitié détruite.

Mon père a ri jaune pis il s'est mis à parler à l'animateur comme s'il était dans le char. Les osties de gars de l'Alcan ont eu ce qu'ils méritaient. On détourne pas des rivières pour après ça penser que tout va bien aller. La nature, à un moment donné, elle reprend ses droits pis elle vient te mordre le cul. C'était la faute aux Américains. Tout le monde dans la région savait qu'ils faisaient des expériences avec la météo. Ils utilisaient des émissions à basse fréquence pour manipuler le temps. Ils voulaient se servir de ça pour gagner des guerres. Y avait des lignes magnétiques terrestres dans le Nord pis c'était pas un secret pour personne. Elles aboutissaient direct dans le lac Saint-Jean pis le lac Mistassini.

L'armée américaine avait même acheté une ferme à Roberval pour recevoir les émissions à basse fréquence. Le maire leur avait vendue pour presque rien. Crosseur comme il était, ça avait pas surpris personne. C'est ça qui s'était passé. Les Américains avaient planifié un déluge pis là, le Saguenay au complet allait y passer. Mon père m'expliquait tout ça en roulant à cent vingt dans le chemin de bois. Les flaques d'eau revolaient de chaque bord du pick-up pis ça faisait comme quand la mer Rouge s'ouvre en deux dans le livre de catéchèse qu'on lisait en deuxième année.

On a roulé encore une bonne demi-heure avant d'arriver en ville. Pendant ce temps-là, la radio faisait le décompte des dommages : deux mètres d'eau avaient envahi Chicoutimi, trois personnes étaient portées disparues, la rivière Chicoutimi était hors de contrôle pis le quartier du Bassin avait été complètement inondé. L'armée était débarquée pis les maisons arrachées avançaient sur les rivières sorties de leur lit. Le maire de Chicoutimi pis l'armée canadienne demandaient aux citoyens de rester chez eux pis de faire des provisions d'eau potable pis de nourriture non périssable.

Pendant que j'écoutais tout ça, je pensais à mille affaires en même temps. Je me demandais si Fred serait quand même capable de descendre à Québec pour aller chercher sa nouvelle batch de PC. Je pensais à ma mère qui devait capoter dans son condo à nous imaginer, mon père pis moi, noyés en quelque part. Je pensais à Marie-Ève pis je priais pour que sa maison arrache pas.

Je regardais mon père qui parlait plus pis je me disais qu'il s'inquiétait sûrement pour sa blonde. La pluie tombait plus fort que jamais pis, en regardant par la fenêtre du pick-up, je pouvais pas m'empêcher de voir dans ma tête le cercueil de Keven se remplir pis Keven avaler de l'eau. Je me suis retenue pour pas pleurer.

Mon père avait dit qu'il pensait pas qu'on pourrait traverser le pont de Chicoutimi-Nord, mais finalement on a pu se rendre jusqu'au bout. De l'autre bord, des gars de la base de Bagotville dirigeaient la circulation pis empilaient des poches de sable le long des sorties de l'autoroute. La rivière proche de la Pulperie était virée folle pis elle emportait tout ce qui était dans son chemin. On est restés pognés quasiment une heure dans le pick-up au sortir du pont parce que ça avançait pas pis qu'il y avait trop de scèneux. J'avais peur que le pont lâche pis que Chicoutimi-Nord soit coupé du reste du monde. On voyait des divans, des poteaux de téléphone, des cabanons, des autos pis plein de débris passer avec le courant. À un moment donné, on a entendu un grand bruit pis j'ai pensé qu'on allait mourir. Juste en face, des dizaines de maisons s'étaient détachées de leur terrain pis s'en venaient vers nous avec la rivière. J'avais jamais vu une affaire de même. Les maisons s'approchaient pis j'ai reconnu celle que mes parents avaient presque achetée quand j'étais plus jeune. On l'avait visitée, mais ma mère en avait pas voulu. La rivière était trop proche de la maison pis ma mère avait peur que je tombe dedans si on habitait là. Je l'ai reconnue tout de suite. C'était une grosse maison avec un toit rouge. Mon père capotait. Il s'était retourné sur son siège pour rien manquer. Il a dit qu'on vivait un moment historique pis, juste au moment où il disait ça, j'ai vu la maison commencer à couler, pas si loin d'où on était, mon père pis moi. Je suis sortie du pick-up juste à temps pour la voir disparaître dans le Saguenay.

LE QUARTANIER
COLLECTION POLYGRAPHE

COLLECTION POLYGRAPHE
LE QUARTANIER

La déesse des mouches à feu, c'est Catherine, quatorze ans, l'adolescence allée chez le diable. C'est l'année noire de toutes les premières fois. C'est 1996 à Chicoutimi-Nord, le punk rock, le fantôme de Kurt Cobain et les cheveux de Mia Wallace. Des petites crisses qui trippent sur Christiane F. et des gars beaux comme dans les films en noir et blanc. Le flânage au terminus et les batailles de skateux contre pouilleux en arrière du centre d'achats. L'hiver au campe dans le fin fond du bois, les plombs aux couteaux, le PCP vert et les baises floues au milieu des sacs de couchage. C'est aussi les parents à bout de souffle et les amants qui se font la guerre. Un jeep qui s'écrase dans un chêne centenaire, les eaux du déluge qui emportent la moitié d'une ville et des oiseaux perdus qu'on essaie de tuer en criant.

23,95 $ / 20 €
ISBN 978-2896981595